JN116971

理系研究者がハッピーな研究生活を送るには

——科学とは? 研究室とは? そしてラボメンタルコーチングの必要性——

小林牧人・藤沼良典　著

恒星社厚生閣

Title: How to Spend a Happy Life as a Scientist
-Science Education, Laboratory Management, and Necessity for Coaching-

Authors: Makito Kobayashi, Ryosuke Fujinuma

Contents

Publisher: Kouseisha-kouseikaku Corporation Tokyo, Japan
http://www.kouseisha.com

Makito Kobayashi, PhD Professor in Biology
https://researchers.icu.ac.jp/icuhp/KgApp?kyoinId=ymkigmoiggy&Language=2

Ryosuke Fhujinuma, PhD Associate Professor in Environmental Science
https://researchers.icu.ac.jp/icuhp/KgApp?kyoinId=ymdogigoggy&Language=2

International Christian University
https://www.icu.ac.jp/en/

はじめに　幸せな研究生活をおくるということは

科学に携わる研究者が幸せな研究生活を送るということは，どういうことだろうか．一般的に考えれば，多くの優れた研究業績をあげ，数多くの賞を受賞し，その研究分野においては誰もが知る著名な研究者として認められる，などのことが考えられる．これは間違いなく正しいと思われる．しかし研究者として幸せな生活を送るには，このような結果を得ることしか方法はないのだろうか．だとすると数多くの研究者の中のほんの一握りの人しか幸せな研究者人生を送れないということになる．本当にそうだろうか．本書では少し視点をかえて研究者のあり方について考えてみたい．

多くの研究者は，学部の卒業研究，大学院，ポスドク，助教，准教授を経て教授となる．その過程においてまず重要なことは，**科学というものをきちんと理解しているかどうか**，ということである．どんな研究技術を身につけているか，ということではなく，科学者としての基盤がしっかりしているかということである．科学者の社会に対する貢献は，新しい科学的知見の発見だけでなく，正しい科学的知識を社会に広めることも重要である．そのためには科学とは何か，さらに科学と科学でないものの違い，をきちんと説明できなければならない．

次に重要なことは**研究者としての自分のフィロソフィー**を持っているかということである．技術は時を経て古くなるが，しっかりとした自分のフィロソフィーは年齢とともに強い研究の原動力となる．そして自分のフィロソフィーに合致する研究がなされたとき，自分の研究者としての充足感，満足感，達成感などが高まり，幸せな感覚が得られるのではないだろうか．

さらに現代の研究者として重要なことは，**研究室のマネジメント能力**である．ひとりでこつこつと研究を進める研究者もいないわけではないが，現代の研究は，リーダーとメンバーからなる研究室という単位で行われる．研究室のマネジメントの中でも特に重要なのが，リーダーとメンバー間およびメンバー間の人間関係のマネジメントである．言い換えると，リーダーに研究室のマネジメント能力がないと，メンバーはハッピーな気持ちで研究を続けることができなくなる．リーダーがメンバーのモチベーションを高める環境をつくることができれば，メンバーは研究者としての充足感が高められ，幸せな研究者生活が得られる．そして言うまでもなく，リーダー自身もハッピーな生活が送れる．しかし現実は必ずしもそうなってはいないようである．

近年の日本の科学研究は世界的に高いレベルに達している．しかしそれを支えている日本の研究者たちは皆ハッピーなのだろうか．本書では日本の科学教育において足りないものとして２つのことをテーマとして取り上げた．ひとつは「科学とは何か」という教育．もうひとつは「研究室のリーダーのあり方」についての教育である．

本書は日本の科学研究が，ハッピーな気持ちをもった研究者たちによって発展するという願いを込めて，また筆者の過去の経験の反省の気持ちを込めてまとめたものである．

なお本書を作成するにあたり，本書を若い研究者がガイドブックのように使ってもらえればと思い，表現は簡潔に，内容は限定的にして本の厚さは薄くして，読みやすくすることに努めた．また本書の一部は私の同僚である藤沼良典先生に執筆をお願いした．

2020 年 12 月

著者を代表して　小林牧人

目　次

第1章

日本の
科学教育に
たりないものは

学部卒業研究生，大学院生，ポスドク，助教，准教授，教授および企業の研究員が，皆ハッピーな気持ちで研究を行うことが望ましい．また教員となった助教，准教授および教授は，研究室のメンバーがハッピーに研究を行えるような環境をつくることが義務であると考えられる．

1）「科学とはなんぞや」　講義で聞いた？

自分が研究者としての人生を振り返ってみて，**日本の科学教育にあったらいいと思われるものが２つある．ひとつは，科学とはどういうものか，科学として扱われるための基準とは何か，という教育である．**日本の学校教育において，科学というものはどのような考え方に基づいているのか，科学的にものごとを説明するというのはどういうことなのか，きちんと教えられていない．私自身，小学校から大学院まで「科学とはなんぞや」という講義は受けたことはなかった．しかも恥ずかしながら大学院生の時に気づくまで科学というものをきちんと理解していなかった．その後，独学でずいぶん回り道をして科学について学んだ．カナダにポスドクとして留学したとき，中国人の留学生が，「技術を学びたいなら日本に留学するのがよい，科学を学びたいなら西洋の国に留学するのがよい，と中国では言われている．」と言っていた．たしかに私は日本で科学についての教育を受けたことはなく，なるほどと思い，反論はできなかった．

現在は高校，大学，大学院で科学とはどういうものの考え方をするのか，ということを教える側にまわっている．講義の受講者からの主なコメントはいつも，「科学について初めてきちんと理解した」，「もっと早くこのことを知りたかった」ということである．ということは，日本の理科教育において，科学成果の知識の習得はなされるものの「科学とはなんぞや」ということは，今もきちんと教えられていないようである．

本書の前半では科学についてまとめたので，まず研究者の基本を身につけることとして科学について読んで欲しい．本書を読んで科学とは何かということを頭の中ですっきりさせて頂きたい．特に科学というものをきちんと理解していないと，疑似科学が正しい科学ではない，という説明ができない．この本の前半は，私が大学で文科系，理科系の両方の学生に対して行っている講義のノートをまとめたものである．読者が，講義，セミナーなどの資料として使って頂ければ筆者としてとてもうれしい．

2）メンタルコーチング教育が必要

2番目に日本の科学教育において足りないと思われるのは，研究者が自分の研究室を持ったときの研究室のメンバーの人間関係を整えるための心理学的スキルである．本書では，本の副題を「研究」についてではなく，「研究室」についてとしたことには理由がある．もちろん本書の第3章では，「研究とは」ということで「研究」についても触れるが，本書では研究室における人間関係，研究室のチームリーダーのあり方について読者に考えてもらいたかったので，本の副題をあえて「科学とは，研究とは」とせず，「科学とは，研究室とは」とした．

現在は多くの大学でＦＤ（ファカルティー・デベロップメント）といって，大学教員に対する種々の教育が導入されている．

また最近では，プレＦＤといって，大学院生のうちに，将来研究室をもった時のための教育というのが，いくつかの大学で行われるようになった．この考え方に私は賛同する．私自身，卒業研究，大学院，ポスドクの時は，研究だけやっていればよく，とても楽しい研究生活が送れた．しかし，助教，准教授になると自分の未熟さからとても辛い日々が続いた．今でも当時の学生に対して心の痛むことが多々思い出される．言い訳がましくなるが，このような不幸な状態を避けるために，将来研究者になることを目指す大学院生，ポスドクは研究室の運営，特にメンバーの人間関係のあり方についてどこかで学ぶ必要があると考えられる．

最近，私はアスリートのメンタルをサポートするスポーツメンタルコーチングの講習会を受け，スポーツメンタルコーチの資格（初級）を取得した．スポーツメンタルコーチングを学ぶ過程で，メンタルコーチングというのは研究室においても必要なのではないかと考えるようになった．

メンタルコーチングとは，クライアント（コーチングを受ける人あるいは集団）とのコミュニケーションにより，コーチがクライアントのモチベーションを高め，クライアントのもつ潜在能力を引き出し，目的達成のための実力を発揮させ，クライアントが幸せな人生を送れるように手助けすることである．

研究室のリーダーは，研究室のメンバーのモチベーションの維持や人間関係を良好に保つために，メンタルコーチとしての意識を持つことが重要ではないかと考えた．私はこのようなメンタルコーチングを「ラボメンタルコーチング」と名付けた．このような考え方が日本のアカデミアの世界に広まり，研究室における人間関係が常にハッピーな状況に保たれることが望まれる．研究室のメンバーは，リーダーの業績をあげるため，リーダーがより多くの研究費を獲得するための兵隊ではない．リーダーは，メンバーが出した科学的新発見を見て，ともに興奮，感動を分かち合う関係が理想ではないだろうか．矢口邦雄氏は，学生が研究室を選ぶとき，「自分が一番大切にしている点を重視して選ぶのがよい」，「自分の本心に向き合い，幸せと思えるような研究室を選ぶべきだ」と述べている(矢口, 2012)．さらに「所属学生が自分の研究室を語るときに幸せそうであるかどうかが研究室を選ぶひとつの目安となる」とも述べている．

本書の後半では, 研究室のメンバーがどのようにしてハッピーな研究生活を送れるか，筆者の提案を述べた．スポーツ，ビジネスの世界ではコーチ，リーダーのあり方が変化し，かつての根性論，徒弟制度，専制君主といったものはなくなりつつある．またリーダーの成功体験に基づく指導というのも，ハッピーな研究室の構築の妨害となることもある．本書の後半の内容は，過去の私の経験の反省の意味をこめて，また日本の研究室にはまだまだ変わるべき点があるのではないか，という考えをもとに，私が大学院の学生の講義で伝えていることである．まずは第２章の「科学とは何かをおさえよう」を読み進めて，最終的には自分のもつ理想の研究室のイメージを構築して頂ければ幸いである．

第2章

科学とは何かをおさえよう

1）学問の区分と科学教育

科学の区分

科学とは何だろうか．最初に私なりの科学の定義を示しておくと，科学とは「**ものごとをよりよく理解するための考え方**」となる．学問の分野には様々な分野があるが，それでは科学とはどのような分野を指すのだろうか．科学というと狭義では理科，自然科学を指す場合が多いが，科学を大きく分けると日本では３つの区分に分けられている．**自然科学**，**社会科学**，**人文科学**である．それぞれ英語では，Natural Science, Social Science, Humanities であり，最後の人文科学は英語では科学には入れられていない．英語に従うのであれば，最後は人文科学ではなく，人文学である．なぜ日本では人文科学という言葉が使われるのか正確なところは私も知らないが，私の推測では，人文科学に科学を付ける理由のひとつは，単なる言葉のゴロあわせ．もうひとつは，日本では実験心理学が文学部で研究されている場合が多い．実験心理学は科学であるから，人文学にも科学が含まれるということで，人文学とはせずに人文科学としたのかもしれない．また近年の言語学には言語脳科学，神経言語学など言葉の発話，理解の脳におけるメカニズムの解明をする分野があり，言語学も人文科学の一分野であると言える．

日本語の自然科学という言葉は，明治の初期に Science の訳語として作られた単語である（板倉，2018）．一方，理学という言葉は，中国（宋）から入ってきた哲学（儒学の中の特に朱子学を意味する）を意味する言葉として江戸時代から明治にかけて使用されていた．明治初期に西洋から物理学が導入され，窮理学，理学，物理学という訳語が使われ，その後，明治後期には，理学，理科は自然科学の総称になったと言われている（中村，2006）．

科学とは何かを学ぶ機会が必要

ここでは理科に限らず広義の科学 Science を意味して科学の説明をしていくが，読者の皆さんは学校で科学とはどういうものか，学んだことがあるだろうか．大学の学生に科学とは何かと講義できちんと教えられたことがあるか，と聞くとほとんどの学生が説明を受けたことはないと答える．「はじめに」にも書いたが，私自身，大学の講義中に科学とはなんぞやという話を聞いたことがない．研究室の研究成果報告会などで，この部分のデータをとっておかないと科学的にうまく説明がつかないよ，と指示をされたことはあった．私が学生の頃（1970 年代後半から 1980 年代），私の属する水産学の分野では，今思うと科学的に研究をしている研究者は少なく，ほとんどの研究者が試行錯誤，経験をもとにした考え方で研究を進めていた．また私の属する研究室の教員たちも科学の理解が不十分で，科学についての正しい指導を受けた記憶はない．それでは大学以前の小，中，高校の先生は，生徒に科学とは何かということをきちんと教えているのだろうか．大学生に，入学以前に科学について習ったかと問うと，大学生は習ったことはないと答える．私が高校生の頃の生物の教科書は知識を詰め込むためのようなものであったが，現代の高校の生物の教科書をみると，「探究活動」という項目があり，ここでは課題の選定，仮説の立て方（検証可能なもの），仮説の検証，対照群の必要性，データの定量化，再現性ということが説明されている．ある教科書では自然科学の探究活動と説明されているが，別の教科書では生物学の探究の方法と説明されている．しかし，おそらく，高校生達は探究活動と科学的なものの考え方というものが結びついていないのではないだろうか．文部科学省の学習指導要領　高等学校理科編「平成30年3月告示」には，「自然の事物・現象を科学的に探究するために必要な資質・能力を育成することを目指す」とあるが，この「科学的に」ということの説明は，指導要領，生物の教科書にはみあたらない（左巻・吉田，2019）．

つまり日本のほとんどの科学者は科学というものをはっきりと教えられずに科学者になっているのである．そして科学者は，学生に科学とは何か，きちんと教えていないということになる．すべての日本国民に科学とはなんぞやということを理解してもらうつもりはないが，せめて科学者を目指す若い読者には，科学をきちんと理解してほしいと筆者は考えている．インターネットで調べると，日本の大学は学生にきちんと科学について教えるべきである，という提言が見られた．アメリカの大学ではまず科学とは何か，というところから始まるようである．

参考「科学とは何か」って授業を日本の大学は導入すべき　2014.04.25 https://lne.st/2014/04/25/whats-science/　2020年3月15日　閲覧

この考え方には私も同感である．ちなみにこの記事の著者は私の勤める大学の卒業生であったが，残念ながら彼は学生の時に私の科学についての講義を履修していなかった．また日本の理科教育の授業では，科学の成果を知識として修得することに重きが置かれているので，科学とは何かという視点，サイエンスリテラシーの観点からの理科教育をも導入すべきであるという提言もなされている（鈴木，2010）．さらに戸田山氏は，「『科

学的思考』のレッスン　学校ではおしえてくれないサイエンス」という著書の中で科学的なものの考え方，科学リテラシーの重要性を述べている（戸田山，2011）．科学の歴史，科学と社会のつながりなどについて書かれた本や論文は多く見かけるが，科学的とは何か，科学的なものの考え方，について説明した本や論文は意外に少ない（池内，1996；村上，2010；鈴木，2010；森，2011；戸田山，2011；塚原，2018）．このような状況で科学者を目指す日本の若者はどこで科学とは何かということを学ぶのだろうか．日本の科学の更なる発展を目指すには，若者たちに一度どこかで科学とは何かと考える機会をもってほしいと筆者は考えている．

2）科学をみたす基準とは

自然科学，社会科学，実験心理学であれ，科学というのは，ひとことでいうと「**ものごとをよりよく理解するためのものの考え方**」ということは前に述べた．また，アメリカの天文学者，カール・セーガンは「科学とは，知識の内容それ自体よりは，むしろその知識を導く方法論のことである」と述べている（ゴスリングとノールダム，2010）．さらに戸田山氏は，科学の活動を「新しくて正しいことを言おうとする営み」と著書で述べている（戸田山，2011）．

いずれにしても，ものの考え方，営みが，科学として認められるにはいくつかの条件（基準）をみたす必要がある．科学について説明した著書，論文はいくつかあるが，私が科学を最もクリアに理解することができたのは，上田（1997）と中瀬と上田（2000）の論文を読んだときである．これらの論文は科学についての定義，基準をきちんと示した論文で，本書ではこれらの論文をもとに科学をみたす条件について，例を挙げて説明をしていく．

まず科学であるということをみたす条件には，次のようなものがあげられる．

1.	検証可能性	Testability
2.	客観性	Objectivity
3.	再現性	Reproducibility
4.	反証可能性	Falsifiability
5.	無矛盾性	Noncontradiction

仮説の検証可能性

検証可能性についての説明は懐中電灯の有名な例があるので，この例をもとに説明をする．

懐中電灯を使っていて，それまで使用可能だった電灯がつかなくなった，という現象が起こった．この現象を起こしている仮説のひとつは，電灯のランプが切れた，というもの．この仮説が正しいかを確かめるには，ランプを新品に変えてみればよい．そして電灯がつくようになれば，ランプが切れていたという仮説が支持される．

ランプを変えても電灯がつかなければ，ランプが切れたという仮説は棄却される．そこでもうひとつの仮説として，電池が切れたという仮説が立てられる．その場合は，新しい電池に取り換えてみて，電灯がつくようになれば，電池が切れたという仮説が支持される．どちらの仮説も新品のものに取り換えるということで仮説を検証することができる．すなわち仮説を確かめることができるのである．

それでは，3 番目の仮説として，お化けがいたずらをしたから，という仮説はどうだろうか．これは私のお気に入りの仮説であるが，お化けというものを実際に扱うことはできないし，確かめることも，調べることもできない．すなわちこの仮説は検証できない．検証できないものは科学では扱えない．つまりこの仮説は，科学という土俵の上にはのらないのである．科学というのは万能ではなく，なんでも科学で説明ができるというものではない．科学で扱えるものは限られていて，**現時点で確かめることができるもの，調べることができるものしか科学の対象とならない**のである．これが検証可能性という科学の条件のひとつである．お化けなんて科学的ではない，というのではなく，残念ながらお化けは現代の科学では扱えないというのが科学的説明である．

それでは科学で扱えるものと科学で扱えないものの境目はなんであろうか．

これはグレイゾーンである．科学の進歩によって測れないものが測れるようになると，科学の土俵にのってくるものがある．例えば，アフリカで黄熱病の研究をしていた病理学者の野口英世氏は，黄熱病の原因を突き止めることはできなかった．野口氏の仮説は，黄熱病の原因は病原体であり，代謝異常，欠乏症などの生理的なものではないというものであった．しかし当時の光学顕微鏡では細菌を検出することはできたが，細菌よりはるかに小さい黄熱病の原因であるウイルスを見つけることはできなかった．野口氏の死後，電子顕微鏡が開発され，黄熱病の病原体はウイルスであるということが明らかとなった．野口氏の仮説は正しかったが，まだ科学技術が野口氏の仮説に追い付いておらず，病原体の検証ができなかったということである．ここで初めて，それまで「原因不明」であった，あるいは「悪魔の仕業」と思われていたかもしれないものが，「病原体はウイルス」であるということが検証され，黄熱病が科学的に扱われるようになったのである．

客観性

客観性というのは，判断の基準が明確で誰が見てもそう見える，ということである．ある人が見ると赤く見えるものが，他の人が見ると紫に見えるというのであれば，客観性がない．大きい，小さいというのもあいまいな表現となる．より客観的にものごとを表すには，定量化（数値化）して観察，実験結果を具体的に表すのが科学における慣習である（森, 2011）．言うまでもないが，『水からの伝言』（江本，1999）で言われているようなきれいな形の氷の結晶，きたない形の氷の結晶といった表現は主観的で，客観性がないので科学では扱えない．

再現性

再現性というのは，2つの条件に細分化される．ここでは私の専門である魚の繁殖とホルモンの例で考えてみよう．

Aさんが1匹の雌のキンギョにあるホルモン溶液を注射したら，翌日に産卵（厳密には排卵）が起こった（図1）．そこでこのホルモンには，キンギョに対して産卵誘発作用があると言えるのだろうか．1匹だけの結果では，たまたまこの魚は，この

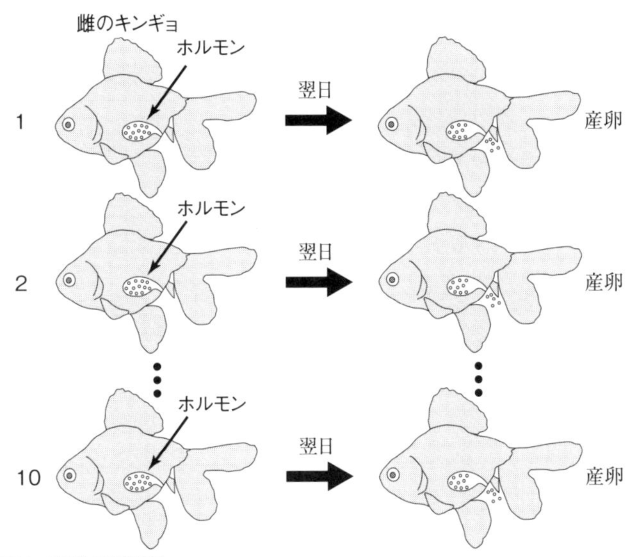

図1. 実験の再現性
ホルモンに効果があるという結果の再現性をみるために,魚の個体数を増やして同じことを繰り返し,同じ結果が得られれば,再現性があると言える.

日が産卵する日だったのではないかというクレーム（反証）がつけられたら,反論できない．そこでAさんは,魚の数（検体数）を増やして，10匹の魚にホルモン溶液を注射したところ，すべて魚が産卵した．これなら再現性はあり，ほとんどの人が納得するだろう．科学の条件のなかのひとつがみたされた．

次にもうひとつの観点からの再現性について説明しよう．Aさんが行った実験を，Aさんの記録に基づきAさんが行った条件と同じ条件で，Bさんが行った．ここでBさんが同じ結果を得られれば，Aさんの実験は再現性があると言えるが，Bさんの実験では1匹も魚が産卵しなかったとすると，Aさんの実験は再現性がないということになる．すなわちある実験を，異なる時に，異なる場所で，異なる人，が行って再現できなければ，その実験は再現性がないということになる．再現性のないものは科学として認められない．

科学として認められていない具体的な例としては，血液型による性格判断がある．昔，日本人の研究者がわずか 30 名たらずの被験者（検体数）で血液型と性格の関連性を分類した．これが日本において広く知られることとなった．しかし，その後 1 万人の被験者で調査を行ったところ，血液型と性格の関連はないと結論づけられた．すなわち少ない検体数でものをいうのは，科学的に誤った結論を出す可能性があるということを示している（森，2011）．また心理学者のフロイトの夢による精神分析も科学としては扱われていない．そもそも夢をどのように測るかという検証可能性に問題があり，またある人が見た夢と同じ夢を他人に見てもらうことができないという再現性にも問題があるからである．最近では，STAP 細胞という細胞が話題になったが，これも再現性がないということで，科学的には認められていない．STAP 細胞は iPS 細胞との比較がなされ，一世を風靡したが，STAP 細胞の作製にかかわった当事者の博士号の学位取り消し，この研究チームのリーダーの自死という最悪の結末に至った．私が不思議に思うのは，社会に STAP 細胞のことを公表する前に，なぜ再現性の確認をしなかったのか，ということである．チーム内のどの研究員でも同じやり方でやれば必ずその細胞ができるということを確認するのは科学の条件として必須のプロセスである．私の研究室では，新しく研究室に来た卒論生には，まず前年度の研究の追試をやってもらうことにしている．それによって前年度の研究結果の再現性が確認でき，学生は実験技術を身につけることができる．卒論生にとってはあまりワクワクする実験ではないが，ここは実験の再現性というものの重要性を理解してもらうために必ず行っている．このようなことはどこの研究室でも行っているのではないだろうか（山本，2015）．

反証可能性

科学の条件のひとつの反証可能性というのは少しややこしい．反証可能性とはカール・ポパーが提唱した科学におけるひとつの条件で，**観察や実験によって得られたある仮説というのは否定あるいは反証（反駁）される可能性をもたなければならない**，このことを反証可能性と言う．別の言い方をすると，仮説が間違っている時に，それが間違いであるという証拠（反証）を示すことが可能であることが科学の条件である（コラム1参照）．ますますややこしい？　理科系の実験系の分野では，仮説を立てて実験を行ったとき，ほぼ反証があるのがあたりまえなので，反証がないことの例を見つける方が難しいかもしれない．だからここでは反証があるものとして話を進める．

少し具体的に説明すると，ある実験を行い，Aという要因がBという現象を引き起こしているという仮説を立てたとする．このときBを起こす要因はA以外にもC，D，Eといった他の要因が考えられるのがふつうである．このC，D，Eがあるということが反証可能性である．そしてこれらの反証に対してきちんと反論できる観察，実験結果を示すこと，ここではC，D，Eの可能性を否定することが重要である．C，D，Eの可能性を否定することにより，AがBを引き起こしているという仮説が支持される．このように，出された反証を否定できる仮説がより信頼性の高い仮説であるということになる．ここでまたキンギョの産卵とホルモンの実験を考えてみよう（図２）．

キンギョの雌にあるホルモンの溶液を注射すると，翌日産卵することがわかった．このとき，この産卵は本当にホルモンが引き起こしたのか，という点でいくつかの反証が出てくる．魚にホルモン溶液を注射するためには，水槽内で魚を追いかけて網ですくう，次に麻酔液に魚を浸す，魚が麻酔されたら魚の体に針を刺す，そして魚の体内に生理食塩水に溶かしたホルモン溶液を入れる．ホルモンを投与するのにこれだけの作業が行われる．これらの作業から，網で魚を追いかけることが刺激になって魚が産卵をしたのではないか，使用した麻酔薬は副作用として産卵誘発作用をもっていたのではないか，針を体に刺すことが魚のツボを刺激して産卵が起こったのではないか，体内に液体を入れると血圧が上がって産卵が誘発されたのではないか，といった反証が可能性として生じてくる．それでは，これらの反証を否定するにはどのようなデザインの実験を組めばよいのだろうか．

そこで必要となってくるのが**対照群**（control group）である．魚に対して**ホルモン投与実験群**（experimental group）と同様な扱いをするが，投与するのはホルモン溶液ではなく，ホルモンの溶媒として使用した生理食塩水だけを投与する．こうするとホルモン投与実験群と対照群の違いは，ホルモンがあるかないかという１点だけの違いとなり，あとはどちらも同様の扱いを受けている．そして対照群で産卵が起こらなければ，ここで初めてホルモンが産卵を誘起したという仮説が支持される．も

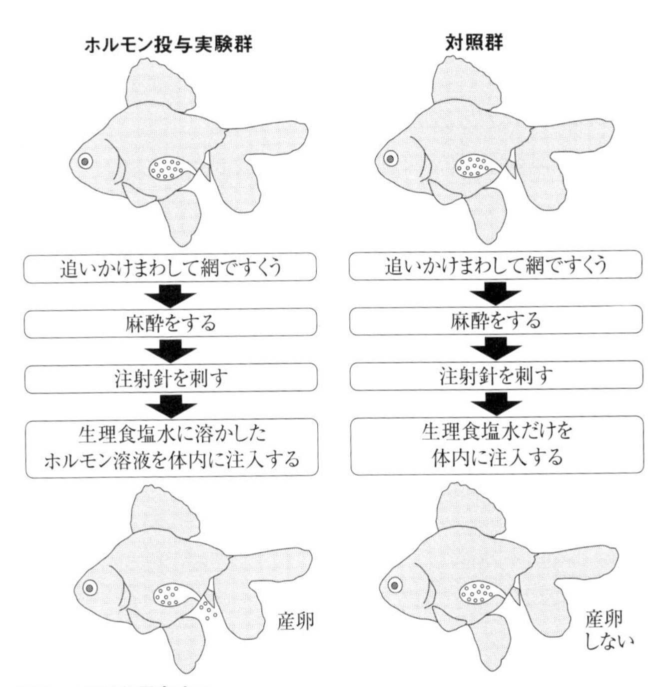

図2. 反証を否定する

実験を行う際に，ホルモンを投与するにはホルモンを与える以外に魚にはいろいろな要因の刺激を与えている．ホルモン以外の要因が産卵を誘起している，ということを否定するためには，対照群というグループが必要となってくる．ホルモン投与群のホルモンは生理食塩水にとかしてある．対照群には生理食塩水を投与する．この結果，ホルモン投与群と対照群の違いは，ホルモンがあるかないか，という 1 点だけの違いになる．ここでは，魚を追いかける，麻酔をする，注射針を刺す，体内に生理食塩水を入れる，といった要因が魚の産卵にかかわっていない，ということが言えれば，ホルモンが産卵を誘起したという解釈が得られる．

し対照群でも多くの魚が産卵するようであれば，ホルモンによって魚が産卵するという仮説は棄却され，ここで与えたホルモン以外の何らかの要因が魚の産卵を誘起したということになる．ときどき学生が，対照群には何もしなかった，そして産卵は起こらなかった，だからホルモンが産卵を誘起した，というデザインの実験を組むことがあるが，これでは前述したようないくつかの反証を否定していない．科学において実験を行う際，いかに正しく対照群をデザインするか，ということがとても重要となってくる．

（補足）実際のホルモン投与実験では，２人以上の人数で実験を行い，１人は魚とホルモン，生理食塩水を用意する．もう１人の人が注射を行う．この時，注射をする人は，もう１人の人から魚と溶液を渡されるが，どの魚に何を注射しているのかわからない条件で注射をする（盲検法）．この方法により，注射する人の意識の偏りが実験に影響することがなくなり，魚は均等に扱われる．

このように科学においては，仮説に対していくつかの反証があり，その反証を実験によって否定していき，最後まで否定できなかった要因が，仮説を支持する要因であると言うこともできる．

無矛盾性

無矛盾性とは，すでに科学で認められている法則（熱力学の法則，ボイルシャルルの法則，ケプラーの法則など）と仮説が矛盾しない，ということである．法則，理論，仮説については，あとで説明する．

以上が，科学の要件をみたす条件である．このように研究者が研究を科学的に行うには，研究のプロセスがきちんと科学の条件をみたしていなければならない．それでは，ついでながら科学の反対にあるものとは，どういうものだろうか．いくつかのものが考えられるが，科学を客観的なものととらえると，反対は主観的なもの，たとえば芸術，文学などがあげられる．また科学を検証に基づいた論理的なものととらえると，その反対は，経験論となる．日常的にも，「実験で試したわけではないけれど経験的にはこの方法でうまくいくよね」，という会話をすることがあるのではないだろうか．一般社会では，科学的なものがすべてではなく，主観的なもの，経験論的なものも重要であることは言うまでもない．

コラム1 進化論，インテリジェントデザイン説と反証可能性

地球の生物の多様性を説明する際，科学では進化論が主要な理論である．現在地球上にいる生き物は進化の結果として多様な種が生まれたと考える理論である．もちろん環境の変化に適応できなくて絶滅した種もある．ただし進化論は完全に検証されたわけではなく，状況証拠の積み重ねの理論であり，物理や化学でみられるような原理とは言えない．しかし進化論は科学として扱われている．一方，キリスト教の聖書に基づく「神」がある時に地球上のあらゆる生物をつくったとする創造論という考え方がある．この創造論から宗教的要素を排除して，「知的設計者」が地球上の様々な生物をつくったという考え方をインテリジェントデザイン説という．しかしインテリジェントデザイン説の中には，知的設計者とは何者かという説明はない．この時点で，創造論，インテリジェントデザイン説は，考え方の中に「神」，「知的設計者」という検証不可能な要因が入っているので，これらの考え方は科学とは言えない．さらにこれらの考え方には反証可能性がないので，科学としては扱われない．「進

化論が科学でインテリジェントデザイン説が科学でない理由」という説明は，以下のサイトにわかりやすく説明されている．ここではその説明をもとに反証可能性がない例としてインテリジェントデザイン説を取り上げる．

 https://sivad.hatenablog.com/entry/20061227/p1

2020 年 8 月 20 日閲覧

科学の土俵に上がる条件として，反証可能性というのがあり，これは仮説が間違っている時に，それが間違いであるということを調べる実験が可能であることを意味する．インテリジェント・デザイン説の考え方を支持するためには，キンギョのホルモンによる産卵の実験の例の時のように，インテリジェント・デザイン説以外の可能性を考え，インテリジェント・デザイン説以外のやり方では地球上の生物をつくることはできない，ということを示しておく必要がある．このことを示す実験がないとインテリジェント・デザイン説の方法によって地球上の生物がつくられたと言うことはできない．しかしインテリジェント・デザイン説以外のやり方では地球上の生物をつくることはできないということを，あらゆる反証をあげてすべてそれらを否定するということは，現実的にはできない．つまり反証のしようがないのである．したがってこのような考え方は、反証可能性がなく，科学の基準をみたした説とは言えなくなる．

それでは進化論はなぜ科学として扱われてきたのかという説明をしておく．確かに地球上の進化の過程を再現するという壮大な時間スケールの実験はできないので，再現性という点では問題がある．しかし生物学では，物理学や化学と異なり，「モデル生物」を使うという手法が可能である．このモデルは，検証可能であり，反証可能である．また追試により再現性をみることもできる．進化論では，遺伝子が突然変異によって変化し，その結果が子孫に伝わり，子孫の形質に多様性（個体変異）が生まれると考える．さらに環境の変化によって，その環境に適応できる特定の形質を持つ集団が生き残り（淘汰），もとの集団とは異なる形質の集団になることがあると考える（自然選択）．これが進化論の基本的な考え方であり，進化の結果として現在の地球上には多様な生物種がいると説明する．このことはモデル生物を使うことにより実験で確かめることができる．進化の過程のある短い時間を切り出して実験をすることができるのである．すなわち，あるモデル動物を何世代も飼育し，子孫の遺伝子，形質に変化が起こるかどうか調べる．またモデル動物を異なる環境下で飼育し，子孫の遺伝子、形質が変化するかどうか調べる．多くの場合，これらの実験により子孫の遺伝子，形質の変化が起こることが示されている．したがって進化論の考え方は科学的に支持される．実際，家畜や作物はこのような方法で新しい品種をつくりだしてきた(自然選択ではなく人為選択である．育種とも言う)．もし，上記の２つの実験でどちらも子孫に遺伝子，形質の変化がまったく起こらなければ，進化論は棄却される．このように進化論が間違っているとしたら，こういう実験をしてこういう結果が出れば，進化論は間違っている，という実験ができるのである．すなわち反証可能性を示すことができる．ここがインテリジェント・デザイン説との違いである．

ついでながら付け加えておくと，進化とは１個体の生物の変化を指すのではなく，ある集団が世代を重ねるうちにもとの集団とは異なる遺伝子，形質をもつ集団になることである．そしてもとの集団と生殖行為を行わなくなった時，新しい「種」が生まれたことになる．アニメの「ポケモンの進化」は，生物学的には進化ではなく，「変態」である．

3）科学研究の進め方

それでは，科学者は研究を行うときに，どのような手順で研究をすすめるのだろうか．ここでは私の専門である生物学を例として基本的な研究の進め方について説明する．

①**最初**に，ある生物がどんなときにどんなこと**（現象）**をしているか調べる（図３）．この作業を生物学では**観察**という．社会科学では**調査**という．ここで自分は何が知りたくて観察をするのか，明確なクエスチョンを持つことが重要である．

②**観察結果**から，どの要因とどの要因とが関連するのか，**相関関係**などを調べる（相関関係，因果関係についてはあとで説明する）．また観察から現象がみえてきたら，この現象はどのようなしくみ**（機構）**で成立しているのか，そのしくみについての**仮説を**立てる（因果関係を考える）．

③**そしてこの仮説が正しいかどうか**，種々の実験を行い検証

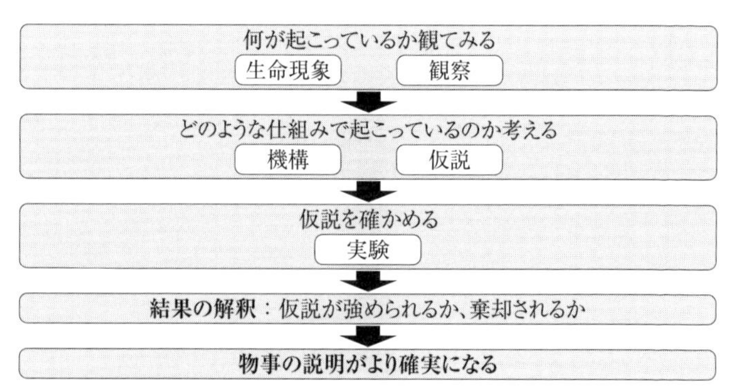

図3.　研究の進め方（生物学を例として）

する．ここでも自分は何を明らかにしたいのか，明確なクエスチョンを持つことが重要である．ただ「何かをやってみよう，そうしたらなんか新しい結果や疑問点が出てくるよ」，では科学ではない．恥ずかしながら私は大学院生のとき，このような考え方で研究をやっていたように思う．

一方，科学的に仮説に基づいて実験をする際には，**どのようなアプローチ（方針）をとって何をパラメータ（変数）として仮説を検証するか**，ということも重要となってくる．生物学では，細胞学的アプローチ，生化学的アプローチ，分子生物学的アプローチ，行動学的アプローチなどが考えられる．そしてそれぞれの方法として，顕微鏡で細胞の変化を観る，酵素活性の変化を測る，メッセンジャーＲＮＡの量を測定して遺伝子発現の変化を調べる，ビデオカメラで行動を録画して行動の変化を調べる，などの方法を活用する．時々クエスチョン，目的，アプローチを混同する学生がいる．たとえば「この研究の目的はキンギョの鰓の酵素活性を測定することである」といった具合に．酵素活性を測ることはその研究において必須のプロセスかもしれないが，**何が知りたくて，何を明らかにしたくて酵素活性を測るのか，ということが重要である**．このことに関連して，ちょっとおもしろいたとえ話がある．ある建築現場で２人の作業員が作業をしていた．１人の人に「あなたは今何をしているのですか？」と聞くとその作業員は「私は今，レンガにセメントをつけてレンガを積み上げているのです」と答えた．同じ作業をしているもう一人の作業員に同じ質問をすると「私は今，教会を建てているのです」という答えが返ってきた，とのことである．

④**実験を行って**結果と仮説があう場合は仮説が支持されるが，

結果と仮説があわない場合は，仮説は棄却される．得られた結果により仮説が支持された場合，その段階で仮説が支持されている最も妥当性の高い仮説であるということになる．そこで新しい解釈（interpretation, あるいは結論 conclusion）が生まれる．得られた結果は必ずしも真理（truth）ではない．**仮説が棄却された場合は，大きく２つの可能性がある．仮説が間違っている場合と仮説は正しいが，実験方法が適切ではなかった場合である．**野口英世氏のケースは後者である．仮説が棄却された場合は，新しい仮説を考えるか，仮説を修正する．あるいは別の方法で実験を行う（図３）．新しい仮説，修正された仮説は，再度実験により検証される必要がある．棄却された仮説にこだわる場合は，より感度の高い測定方法，あるいは別のアプローチ（注目するパラメータを変える）などで再検証を行う．優れた研究というのは優れた実験デザインによって生まれてくるのである（ゴスリングとノールダム，2010）．

これまでの科学は主として要素還元主義（あるいは単に還元主義）によってものごとの解明がなされてきた（池内，1996；池内，2008）．還元主義とは，あるものを構成している要素に分け，その要素の構造，機能を調べることによりそのものの全体像を理解する分析法である．生物であれば，個体を細胞レベルで理解し，細胞を分子レベルで理解することにより生き物の理解がより深まる．物理であれば，原子から原子核，原子核から核子（陽子と中性子），核子からクォークということになる．階層構造のひとつ下のレベルを調べることにより，ものごとの理解が深まるのである．これらの研究は多くの場合，実験室で理想化した状態で各要素を人為的にコントロールして調べることができる．しかしこの逆はどうだろうか．複雑系と呼ばれる自然現象の解明は，還元主義では解明できないことが多い．たとえば，生態系，環境汚染，地球温暖化，地震などは，これらの現象を起こす要因が多数あり，結果の原因をひとつに特定することは，困難であろう．しかし，このような研究がこれからより重要になることは間違いない（池内，1996；池内，2008）．

4）科学を楽しむためのStrong Inference（藤沼良典）

科学，どうすれば楽しむことができるだろう？　子供の頃，ロボットの操縦とかでワクワクしたことはないだろうか？　テレビや映画でサバンナの動物が溢れる光景を見て心が自然の壮大さに感動したことはないだろうか？　子供から大人になる間にあのワクワク感がいつの間にかなくなってしまってはいないだろうか？　そして，常に正解を出さないといけない，という呪縛に囚われてしまってはいないだろうか？　では自由に科学を楽しむとはどういうことなのかについて考えてみよう．

> ！！　まず，以下の場合にあなたはどう考えるだろうか？
> 「ある予測を立てて実験を行ってみた．が，結果は予想外で自分の予測を大きく外れてしまった．」　→　これは失敗⁇

きちんと研究としてアンケートを採ったわけではないが日本だけでなく海外の学生を含めて「失敗した」と答えることが多い．なぜだろう？　「実験の結果が思った通りにならないから論文が書けない」これもよく聞く．**科学とはいつからそんなにワクにはまった学問になってしまったのだろうか．科学とはもともと未知の世界を知的好奇心と創造力，批判的思考力を駆使して明**

らかにして行く知的アドベンチャーだったはずなのに．

かくいう私もこの科学を楽しむ，という境地に至るまでに長い紆余曲折があった．日本でも確かにいろいろ教わったのだが，どちらかというと泳ぐか溺れるかとりあえず泳いで確かめてみようといった感覚に近かった．したがって科学によって現象を「証明」するのだと考えていた．アメリカの大学院でこの「科学で証明する」という感覚は徹底的に否定された．セミナーでも，学科の授業でも．

何がいけないのか？

「証明」という表現なのである．この表現には「無条件で」というニュアンスが含まれている．お分かりになるだろうか？「証明」できたということはどのような条件でもこの現象は起こると言っているということになる．「科学はいつから万能になってしまったのか？」というコメントを多くの教授からことあるごとにいただき，その度に深く考えさせられた．なかなか難しいのである．社会には科学的証明という表現が満ちているので．その中で教育を受け，育ってくるといつの間にか「科学は万能」という呪縛にかかってしまい，実験結果が仮説を正しいと「証明」出来たら実験成功で仮説が否定されたら実験失敗と考えてしまう．そして実験失敗という発想はダメだ，自分は失敗した，と落ち込む方向へと転じ，楽しいと感じていた科学が常に仮説に沿った正解を出すための苦行となり，こんなはずじゃなかったのにとなってしまう．

科学的論理考察を非常にわかりやすく述べたレジェンド論文，"Strong Inference"(直訳すると「強力な推論」)の中で著者のプラット（Platt, 1964; 八尾，1999）はこの科学に対する考え方に対して，「数字で結果をだせないと科学ではないという考えが主流となったために理論を明確にするための数字や式がまるで真実であるかのように扱われてしまい，本来の論理展開を妨げてしまっている」と警鐘を鳴らしている．また，科学者は論文を書くときに最初からすべてが予想どおりに事が進んでいるかのように書いてしまうために，知的模索に基づく仮説ありきではなく，決まった方法ありきとなり，自分の思った通りの仮説に現実が当てはまることを期待しがちになるとも述べている．

では何をどうすれば良いのだろうか．

プラットは科学的思考法を 17 世紀にベーコンが示した帰納法に基づいて私たちが研究を進める上でやらなければいけないこととして以下のように示している．

1. 対立仮説を立案する
2. 選択肢となる起こりうる結果を伴う実験を立案する
3. 精密な結果を取れる実験を行う
4. 結果に基づいて順次仮説をたてて（1）から繰り返す．

ただ闇雲に手当たり次第に実験するのではなく，木をよじ登るように研究を進めていく，という感じである．プラットはさらにこう付け加えている．帰納的推論法は未知の領域の開拓のために行うので消去法のように単純で確実というわけではなく，第 1，第 2 段階では特に知的創案を賢く行うことが重要であり，でないと仮説，実験，結果，棄却という一連のプロセスが精密な演繹による推論を作り出せなくなる．こうすれば無駄がなくなって効率よく論理構築ができるだろう，というわけである．

しかし，理想的な簡潔でエレガントな実験なんて，本当にできるのだろうか？

気楽に行こう．いつかできるのではないだろうか，というポジティブな期待を持ってひたすら繰り返そう．そして真実とは曖昧な結果よりも正確な間違いからの方が速く辿り着けるのだ．ベーコンやプラットがいうようにこの場合はダメ，あの場合はダメ，と仮説を否定する前提条件を「正確に」示す実験を繰り返し，否定する条件がなくなったときに真実に辿り着ける．これはどういうことなのかと言うと，**予想したとおりにいかなかった結果もまた素晴らしい結果であり，そこから次の仮説へと発展する**ということ，なのだ．これは正しい棄却を繰り返すこと，とも言える．私は米国留学時代，教授陣から口を酸っぱくして言われ続けたことがある．

「仮説は正確な実験結果によって否定するために存在する」

わかるだろうか？　科学を数学の証明問題と同じように考えて証明出来ない論理はダメ，という概念に縛られていた学生時代の私はこれを理解するのに非常に苦労した．でも，そんなときにある研究者に出会った．そして彼との会話で私は非常に驚くと共に大きく救われた．彼は，自分の博士論文で扱ったすべての実験において実験仮説がデータにより否定されたと言うのだ．その彼は自信を持って言っていた．「文献レビューはしっかりやったから自分のリサーチクェスチョンはきちんと的を射ていたし，実験を計画した時は絶対の自信を持って仮説には試す価値があると言えた．そして実験計画も仮説を正確に試すことができるようにいろいろな人から意見を聞きながら練ったから間違いはない．計測もちゃんと機械の校正を毎回したし，化学分析では標準試料も分析して数値が精密・正確であることも確認した．だからデータには絶対の自信を持てた．ということは，この考え方を否定する方向へ論理展開をしていくべきだと結論できたんだ．研究のやり方は間違っていない．だからポジティブデータがひとつもなくても学位をとれたのだと思う」と．Ph.D はドクター・オブ・フィロソフィーの略だ．科学的手法をどう行うかの哲学なのだと彼は嘯(うそぶ)いていた．今の私なら言える．まったく持ってその通りだ，と．

ただ，プラットの提唱した仮説に基づく帰納法も完璧な方法ではないわけでいろいろな批判／賛同を集めている．フォックスとマクギルはブログの議論の中でプラットのアプローチを概ね良いアプローチとした上で大きなプロジェクトには使えるアプローチだが自然には全てが相互に排他的な要素ではないので個々の実験には使えないと批判している．一方，ファッジは，プラットの帰納法をシャーロック・ホームズが語った「不可能を排除した後に残るのはありそうもないことでも真実に違いない (『四つの署名』:1890 年に出版されたドイルの小説)」と同様であり非常に有効なアプローチであると評価している．ただし，現在の学生には合わなくなってきているのではないかというファッジの教育経験から次のように進化させている．

1. 観察（感受性）
2. 疑問（好奇心）
3. 仮説（独創力）
4. 予測（想像力）
5. テスト（創造力）
6. 分析と結論（論理性）

多くの卒業論文や大学院生を指導してきた中で，自然科学という分野の中にいるせいか私のスタイルもどちらかというとこの発展型に近いアプローチを用いている．

仮説に感情移入しないこと

Strong Inferenceにはもうひとつ大事なことが述べられている．それはいかにして仮説に感情移入しないようにするか，についてである．ではどういうときに感情移入してしまうのか？

それは実験仮説がひとつしか存在しないときであるとプラットは述べている．仮説がひとつだけ，は本当に危険だ．なぜかというと自然現象はその発現構造自体が常に非常に複雑であり，ひとつの切り口だけでは全体像を掴み取ることは非常に難しいからである．そして実験結果が仮説を否定し，論理的に行き詰まったように感じてしまうとフェアに物事を判断できなくなってしまいがちになる．仮説がひとつだけだと自分も否定されているように感じてしまう可能性が大きくなる．ではどうすればよいのだろうか？

ひとつのリサーチクェスチョンに複数の実験仮説を構築することである．自然には私たちが学校や大学で学習してきたような「科目」というものは存在しない．言い換えれば文系・理系を明確に区別する境界線も存在しなければ，物理，生物，化学と細かく分ける境界線も存在しない．あるのはすべての科目が相互に影響しながらユルく繋がって，全体としてひとつのシステムとなっていることだ．であれば，ひとつのリサーチクェスチョンにいくつもの仮説を立てることは当たり前のように行って良いのだ．この方法の良いことは，たとえひとつの実験がひとつの仮説を否定してもまだいくつもの仮説が存在しているために健全な仮説の棄却が可能となる．エゴと研究を切り離すことが可能となり，皆の目指す真実への到達が速くなる．さらに，実験が正確・精密であれば前に進めるのだという確信を得ることができて純粋に研究を楽しむことができるのではないだろうか．

5）相関関係（Correlation）と因果関係（Cause and Effect）

研究を進めるときに，最初にどんなときにどんなことが起こっているか，観察を行う．たまにしか起こらないこと，いつ起こるかわからないことを研究対象として研究を進めるのは難しい．確実に測定できる現象を研究対象とする．観察の結果，ある現象が起こっているときに，必ずもうひとつの現象が起こる場合を２つの現象に**正の相関関係**があるという．またある現象が起こっているときに，もうひとつの現象が起こらなくなる場合は，**負の相関関係**があるという．

（補足） 相関がどれくらい強いかということは，統計学的な検定法で解析する

ただし相関関係がわかっても，その２つの現象に原因と結果という因果関係があるかどうかは実験を行わないとわからな

相関関係の背後にある5つの関係

現象Aと現象Bが正の相関を示した

1. Aが原因 → Bが結果
2. Bが原因 → Aが結果
3. 偶然
4. 間接因子
5. 交絡因子

図4. 相関関係の背後にある2つの現象の関係

い．ある2つの要因AとBに相関関係がみられたとき，この2つの要因の背後には大きく4種類の関係といくつかの種類の疑似相関が想定される（図4）．1）Aが原因でBが起こるという因果関係．2）Bが原因でAがおこるという因果関係．3）たまたまそのときだけ相関関係がみられたという**偶然**．4）Aは直接Bの原因とはなっていないが，Cという**間接因子**（indirect factor）を介してBを起こしている場合（図5）．その他にいくつかの種類の**交絡因子**（confound factor）がかかわっているケースがある．交絡因子とは，本来考慮されていない原因のことを言う．ここでは2つほど具体例をあげて説明しよう．

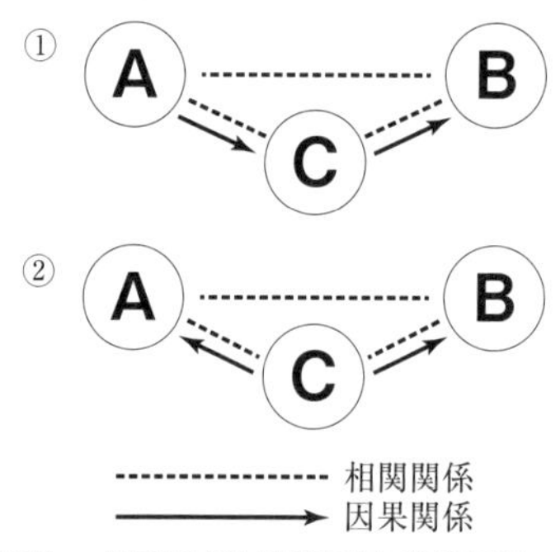

図5．相関関係と間接因子,交絡因子

例1

アイスクリームの売り上げと水難事故の件数には相関関係があるという．しかし，人々がたくさんアイスクリームを食べると水難事故が増えるという因果関係は考えにくいし，水難事故が増えるとアイスクリームを食べたくなるということも考えにくい．この場合の共通因子として，気温の上昇ということが考えられる．この気温という要因をアイスクリームの売り上げと水難事故の件数の両方を独立に引き起こす交絡因子という．相関関係があるからといって必ずしも因果関係があるとは限らない．これは疑似相関である．疑似相関とは，因果関係がないのに別の要因（交絡因子）によって因果関係があるかのように推測されることである．

例2

もうひとつの例は，コーヒーと脳卒中（脳梗塞，脳出血，くも膜下出血など，脳の血管が詰まったり，破れたりする病気の総称）の例である(図6)．コーヒーを飲むと脳卒中が抑制されるという因果関係が科学的事実として示されている．ところがコーヒーを飲む人の人数と脳卒中になった人の人数を実際に調べてみると，正の相関関係がみられるという．これは前述の事実と矛盾するようにみえる．そこでさらに詳しく調べていくと，

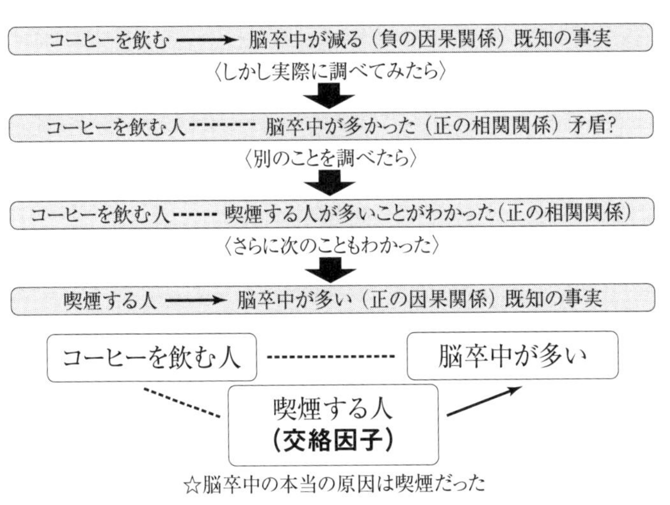

図6. コーヒーを飲む人と脳卒中を起こす人の相関関係

コーヒーを飲む人の人数と喫煙をする人の人数に正の相関があることがわかった．また喫煙は脳卒中を起こすという因果関係があることもわかった．この場合，一見，コーヒーが脳卒中を引き起こしているようにみえたが，実は喫煙が脳卒中を引き起こす交絡因子であったのである．そしてコーヒーを飲む人の人数と脳卒中になる人の人数の関係も疑似相関である．

ひとくちに相関関係と言っても，背後にいろいろなケースが考えられる．しかし相関関係がわかれば，それがそのまま自分の思い込みで因果関係がわかったと誤解をする学生，相関関係イコール因果関係と思っている学生がときどきみられる．困ったことにある国語辞典には相関関係イコール因果関係のような説明をしているものもある．さらに驚いたことに，前出の戸田山氏によると，日本の文部科学省は過去に2回も相関関係イコール因果関係で，交絡因子ということを考えなかった政策を打ち出したとのことである（戸田山，2011）．1998年の調査で，日本の少年のジャンクフードを食べる頻度と非行との間に正の相関関係があるとして，ジャンクフードが子どもの非行の原因となっているという解釈をした．そこで「子どもをキレさせないための食事」の研究に取り組んだとのことである．これはジャンクフードが脳に影響を及ぼしたと考えるより，親の養育態度が交絡因子となっているものと考えられる．もうひとつは，2009年，テストの成績と朝食を食べる頻度に正の相関関係が得られたので，朝ご飯を食べると学力が上がるという解釈をし，「早寝早起き朝ごはん国民運動」，「めざましごはんキャンペーン」などの取り組みを行ったとのことである．これは，きちんとした家庭環境と生活態度が，規則正しい生活と良好な成績の双方の原因

（交絡因子）となっていると考えるのが教育学，科学的に正しいのではないだろうか．ちょっと情けない．だいぶ情けない？

相関関係がみられても因果関係は実験を行って検証をしなければわからない．ただし相関関係がみられ，因果関係を調べなくても結論を出すこともある．たとえば喫煙者数と肺がんの患者数には相関関係がある．しかし因果関係があるかどうか調べるためには人体実験を行わなければならず，これは倫理的に許されない．この場合は，いろいろな相関関係をもとに因果関係を統計学的に推測する．このような調査方法を疫学調査という．**疫学調査**は多くの疾患の予防に役立てられている．最近ではヒトのゲノムが明らかとなり，人体実験をしなくてもゲノム解析からヒトの病気の予防が可能となってきている．

またごくまれに偶然相関関係が得られることがある．だれが調べたのかわからないが，俳優のニコラス・ケイジの年間映画出演回数とアメリカのプールの溺死者数が強い相関関係を示すという．

参考 http://tylervigen.com/spurious-correlations2020 年 3 月 15 日閲覧

この 2 つの要因に因果関係があるとはとても思えず，偶然としか考えられないが，これを偶然と判断するのは主観的であり，科学的ではないとも言える．

6）帰納と演繹

我々が研究上仮説を立てるときは，大きく 2 つの方法がある．それらは帰納法（induction）と演繹法（deduction）である．**帰納法**とはいくつかの関連のある事象を比較して共通パターンを見出し，ものごとの性質，しくみについての仮説を立てるものの考え方である．たとえば「漢方薬の葛根湯は風邪に効くと雑誌で宣伝している」，「友人が葛根湯を飲んで風邪の症状が楽になったと言っている」，「風邪をひいたら葛根湯を飲むと治ると祖母が言っていた」．帰納法では，これらの事象から葛根湯は風邪に効くという仮説を得る．

それに対し**演繹法**とは既知の普遍的事実をもとにものごとの性質，しくみについての仮説を立てるものの考え方である．たとえば，「キンギョは真骨魚類に分類される」，「真骨魚類の赤血球には核がある」，という２つの既知の事実から「キンギョの赤血球には核がある」という仮説が得られる．帰納法ではまだ不確定な事象を前提としているのに対し，演繹法では既知の事実を前提としていることから，より説得力の高い仮説が得られる．ただしどちらの場合も，仮説を検証しなければ科学的な結論は得られない．

７）科学と経験，疑似科学　何がどう違う

科学では帰納法も演繹法も活用するが，我々の日常生活では帰納法の仮説の段階で結論づけている場合が多いと思われる．日常的な経験論では，いろいろ情報を集めて，それらの情報から共通性を見出し，実験をせずにものごとの結論を導くことが多い．また帰納法に基づいて仮説を立てて検証をするとしても，日常生活では実験群と対照群をつくって確かめるという科学的なやり方はとらないのがふつうである．

たとえばあるお菓子を作った時に少し甘みが足りなかった．そこでこれは砂糖が足りないという仮説を立てて，次にお菓子を作るときに砂糖をもとの量と同じもの（対照群）と少し多めに入れたもの（実験群）の両方を作って比較する，ということ

をする人はまずいないだろう．ふつうは実験群の方だけしか作らないのではないだろうか．しかしこの場合，厳密に言うとこの実験には対照群がないので科学的には正しい実験とは言えない．操作群とでも言えばよいだろうか．こういう科学的な理屈は置いておいて，いろいろ試してみるのが試行錯誤（trial and error）であり，いわゆる経験論（empirical theory）である．

漢方薬は経験論の集大成

漢方薬が科学的に薬かどうかは議論があるが，私自身は，漢方薬は科学に基づくものではないと考えている．漢方薬は，帰納法，試行錯誤に基づく経験論の集大成ではないかと考える．漢方薬の歴史において，被験者を２群に分け，片方を対照群，もう一方を実験群として漢方薬の効果をみてきたとは思えない．科学的な手続きをとっていないものからは科学的な結論は得られない．しかし，ここで誤解をして欲しくないのは，科学的なものが社会におけるすべてではない，ということである．漢方薬は経験論から導かれた社会的に十分価値の高いものであり，多くの病気の治療効果をあげている．私もいくつかの漢方薬を愛用している．社会では科学の結果がすべてではなく，経験，主観も価値判断の重要な要素であり，むしろ科学よりこちらの比重の方が大きいのではないだろうか．この点については，基礎科学と応用科学のところで説明をする．いずれにしても科学者が科学的に恋人を探しているという話は聞いたことがない．

漢方薬を経験論の集大成という表現をしたが，経験論の考え方でものごとの理解を深めるやり方と科学でものごとの理解を深めるやり方には違いがみられるように思われる．科学においては，観察による現象の把握，仮説の構築，実験による検証からものごとの性質としくみ（機構，メカニズム）が解き明かされてくる．近年の生命科学では，生物の体の性質，しくみを細胞，分子レベルで説明ができるようになってきた．しかし東洋医学においては，ものごとの性質は理解できるが，ものごとのしくみの実証的な理解という考えは生まれてこないように思える．たとえば神経系，免疫系の分子レベルのメカニズムの解明など．一方，西洋医学では，原因の特定できない病気，病気の発症のメカニズムがわからない病気では適切な治療ができないが，東洋医学では病気の症状（病態）に応じた治療を行うというやり方で治療効果をあげているという．どちらの方法論にも長所，短所があることは事実である．

疑似科学

一方，科学と名のついたものでも科学ではないものが世の中にはみられる．科学の基準をみたしていないのに科学と称するものは，科学者は疑似科学として科学と分けている．また間違っていることがすでに示されているのに正しいと主張するもの，正しいか間違っているかまだわかっていないのに正しいと主張するものも疑似科学として扱われている．

代表的な疑似科学は「創造科学（創造論）creation science」および「インテリジェント・デザイン説 intelligent design」と呼ばれるものである．創造科学，インテリジェント・デザイン説の考え方は，どちらも進化論を否定し，創造科学では生命の歴史はキリスト教の聖書に書かれている生命の歴史を正しいと考える考え方であり，インテリジェント・デザイン説では，「知的設計者」が地球上の生物を創造したという考え方である．自然科学は自然を対象とした科学であるが，これらの考え方にはそれぞれ「神」，「知的設計者」という検証不可能な超自然的な要因を導入して地球の歴史を説明している点が科学の基準をみたしていないと言える．これらの考えは，個人の主義，思想としては問題ないが，科学としては認められていない．また「超心理学（テレパシーや念力を扱う研究分野）」も疑似科学とみなされている．戸田山和久氏の説明によれば「もし超心理学者が科学的にありたいと思うのなら，『こんな実験でこういう結果が出たら，透視能力は存在しない』という反証可能性をはっきりさせたうえで，実験をしなければいけない．言い訳をしたり，曖昧にしたり，両義的にしたりして，間違えることができない仕組みになっていると，それはもう科学ではない」と反証可能性の条件をみたしていないことを理由に超心理学を疑似科学としている（戸田山，2011）．その他に疑似科学として科学から分けられているものとしては，「今西進化論」，「マイナスイオンと健康」，「血液型と性格」，「水からの伝言」，「ゲーム脳」などがあるが，ここでは詳しくは触れない．興味のある人は自分で調べてみて欲しい（池内，2008；伊勢田，2003；伊勢田，2011：森，2011；森田，2008, 2009；長島ら，2010；左巻と吉田，2019；戸田山，2011）．ただ残念なことに疑似科学についての文献を読むと，これは科学ではないという説明はあるものの，何が正しい科学かということがわかりやすく説明されていないものが多い．ついでに付け加えておくと，科学者の社会的役割は科学的な新発見をすることだけでなく，正しい科学的情報を社会に広めることも，科学者の重要な役割である（池内，2007；中屋敷，2019）．

8）法則，理論と仮説

科学の進歩により地球上の現象，機構の理解が深まり，断片的な知見をまとめて体系づけられたものが科学の**学問**であり，学問を書物にしたものが教科書ということになる（本書の冒頭に示した通り，学問には科学以外に様々なものがある）．科学によって得られた知見は様々であるが，そのもっともらしさ，信頼性には程度の違いがある．地球上あるいは宇宙において普遍的に認められ，これまでのところそれを否定する要因がない基本的しくみを科学では「**法則** law」という．前述した熱力学の法則，ボイルシャルルの法則，ケプラーの法則などが法則である．次に仮説の中でも何度も検証されて，その確実性は高いが，決定的な証拠がないものを「**理論** theory」あるいは「原理」という．ダーウィンの進化論は，法則ではなく理論である．またものごとの性質やしくみを理解する上で役に立つ考え方で，これから検証されるまだ不確かな説明（仮定）を**仮説** hypothesis（あるいは作業仮説 working hypothesis）という．研究を始めるときにはまずクエスチョンと仮説が必要である．

9）生物学の特徴

科学にはいくつかの分野があるが，そのなかでも生物学には，物理学，化学などとは異なる特徴が２つほどある．

マジョリティーの結果で結論を出す

物理や化学では，理論値あるいは実測値をデータとしてそのまま使うことができるが，生物学では何匹かの動物を使ってデータを得た場合，動物によって反応性が異なることがしばしば生じる．個体によって結果が異なるのである（木村，1999）．そしてこの場合どちらの結果をもとに結論を得るかというと，マジョリティーの結果をもとに結論を出すことが多い．動物には個体変異（個体差）があり，実験をやってもすべての動物が同じように反応するとは限らない．たとえば，10匹のネズミに生理食塩水を投与し（対照群），もう10匹のネズミにホルモン溶液を投与した（実験群）．対照群では10匹とも反応なしで，実験群では8匹反応があり，2匹は反応しなかったとする．この結果を統計学的に検定すると，偶然こういう結果が出る確率は極めて低い，と計算結果が得られる．そこで生物学ではこのホルモンは効いた，と結論づける．教科書にもそう書かれる．

（補足） このデータをFisherの正確確率検定法という統計学的な検定法で解析すると，もし両方の群に生理食塩水を投与してこのようなデータの分布が偶然生じる確率は1%以下であるという計算結果がでる．そして生物学者は得られたこの結果は偶然ではなく，ホルモンの作用によってこのようなデータの分布が生じた，すなわちホルモンが効いた，と解釈する．

それでは反応のなかったマイノリティーの2匹についてはどう解釈するかというと，ホルモンに対して反応性の悪いものが2匹混ざっていたと解釈し，多くの場合，結論からは無視する．

（補足） 1匹の動物から血液や臓器を採取して，それを2つ（duplicate）あるいは3つ（triplicate）に分けて（replicate）ある項目について測定をすることがあるが，この場合，個体数（N）は1であり，2でも3でもない．異なる2個体あるいは3個体で測定して，Nは2あるいは3となる．

すなわち，物理や化学の教科書に書いてあることはほぼ本当のことが書いてあると考えられるが，生物学の教科書に書いてあることはあくまでマジョリティーの結果（傾向）が書かれているのであって，教科書に書いてあることと異なることが起こることはあり得る．たまに学生が教科書と異なる実験結果を得ると，この教科書は間違っている，と憤慨することがあるが，生物学の実験ではマイノリティーの方の結果が得られることが多々あるのである．検体数が少ないと何がマジョリティーなのかわからないことがある．だから生物学での研究では，実験を繰り返して再現性を調べ，何がマジョリティーなのかを探究する．生物学ではマジョリティーの結果で結論を出すという考え方は，生物学を学ぶ上でとても重要なことであるが，どの生物学の教科書にも書かれていない．私は中学生以上の理科の教科書には，このことを書くべきであると考えている．関連してヒトも生物であり，個体差があり，あるひとつの性質についてみればマジョリティーとマイノリティーが存在する．このような認識を各自が持てば，社会におけるマイノリティーに対する不要な差別が減るのではないかと考えている．

HowとWhyのクエスチョン

もうひとつの生物学の特徴は，クエスチョンに**How（どのように）のクエスチョンとWhy（どうして）のクエスチョン**があるということである．動物のある行動を観察していて，最初にどのように行動するか観察する．これはHowのクエスチョンである．

次にその行動を成立させている環境要因，神経系，ホルモンなどの関与を調べ，行動成立のメカニズムを調べる．これもHowのクエスチョンである．さらに生物学では，その行動がその動物の生存，繁殖にとってどのような意味があるか，生物学的意義を考察する．これはWhyのクエスチョンである．生物学ではその動物にとって損か得かという価値判断を考えるのである．

ここでは性転換魚類を例にあげて説明しよう．映画のモデルにもなったサンゴ礁にすむ魚，カクレクマノミは社会的序列によって個体の性が変化する．いわゆる性転換魚である．一番体の大きな魚は雌でグループリーダーである．それより少し小さい魚が雄で，一番小さな子供の魚は生殖腺が発達しておらず，雄でも雌でもない（映画では男の子という設定になっている）．グループリーダーの雌が病気で死んだり，捕食者に食べられて，このグループからいなくなると，雄が雌に性転換して新しいグループリーダーとなり，子供の魚は序列を昇格して雄になる（映画では，母親，父親とその子どもという設定になっているが，実際のカクレクマノミのグループに親子の血縁関係はない．子どもはよそから流れ着いてきてグループの子どもの地位を得る）．このような社会的序列をつくる魚種において性転換することは各個体においてどのようなメリットがあるのか，という研究がなされているが，これはWhyのクエスチョンの答えを求めるものである．また性転換の機構は視覚刺激，神経，ホルモンが関与して起こっているのではないか，という研究は，Howのクエスチョンの答えを求めている．ついでに補足しておくが，現代の生物学において，「種族維持」，「個体維持」という考えのうちの「種族維持」という考えは，一部の社会性動物を除き，否定されている．動物は，仲間を残すための行動をとるのでなく，仲間の利害に関係なく，自分が生き残ること，自分の子孫を残すことを優先する，というのが現代の生物学の考え方である．すなわち各個体の活動は，あくまで自分の「生存」と「生殖」のメリットを求めて行動すると考えられている．このように生物学においては，動物にとってのメリット，デメリットという解釈がなされる．すなわちWhyのクエスチョンである．このようなクエスチョンは物理や化学にはないのではないか．生物学において行動学，行動生態学の分野では，Whyのクエスチョンを中心とした学問が展開されている．科学の分野において，このWhyのクエスチョンがあるということが，生物学の最も生物学らしいところではないかと私は考えている．

コラム2　行動生態学

私自身は魚類の生理学が専門なのでHowのクエスチョン（どのように）の研究をしているが，本文にも書いたように生物学ではWhyのクエスチョン（なぜ）がある．行動生態学ではある魚の行動，生態がその魚にとって損か得かということを考える．性転換魚類の性転換については，生理学者はどのようなメカニズム（How）で性転換ができるのかを考えるが，行動生態学者はなぜ性転換をするのか（Why），性転換をした方が得か，しない方が得かという適応度（fitness）について考える．関西出身で関西の大学に勤める友人に「行動生態学というのは損か得かを考える浪速（なにわ）の商人（あきんど）の生物学ですね.」とメールに書いたら，「おもろい」という関西弁の返事がひとことだけ返ってきた．

10）基礎科学と応用科学

基礎科学

ここでは基礎科学と応用科学についての違いを説明するが，これまで説明してきた科学は，基礎科学についてである．特に自然科学の分野の基礎科学である．**基礎科学**とは物質，生命，地球，宇宙についての理解を深める学問で，ものごとの性質，しくみを明らかにする．学問分野でいうと，物理学，化学，生物学，地学，天文学などがあり，大学ではこれらの分野は理学部に属する．研究で得られる結果は客観論に基づき，基本的に答えはひとつである．これらの基礎科学の発展によりものごとの理解が深まり，よりよい**解説** explanation ができるようになる（図７）．

基礎科学は何の役に立つの？　という質問に

基礎科学の分野の研究者が一般人に聞かれて困る質問に「それは何の役に立つの？」というのがある．このあとに説明する応用科学の分野ではそれが説明しやすいが，基礎科学は何か社会の役に立つことを目的として研究をしているわけではないので，答えがしにくい．私は水産学，環境学といった応用科学だけでなく，基礎生物学的な研究も行っている．そして この問いにはまず「生き物，特に魚についての理解を深めるための研究をしています」と答える．しかし，この答えに対して「それでは，それが何の役に立つの？」とさらに問われる．そこで私は「たとえると，私の

研究成果により，100冊しかなかった図書館の本が，10000冊に増えるようなものです．図書館に行かない人には関係ないですけれど，ある情報が必要な人にとっては，とても役に立つようになります」と説明している．私が東京大学の水産学科にいた時，キンギョを使って生殖行動（性行動，産卵行動）の基礎生物学的研究を行っていた．キンギョは食用魚ではなく，水産上重要魚種とはみなされないモデル動物を使って基礎研究をしていると，「その研究は水産上，何の役に立つのですか？」としばしば批判を受けた．ところが世の中で内分泌撹乱物質（環境ホルモン）の動物への有害性が問題になると，内分泌撹乱物質は魚類の生殖行動に影響を及ぼすか？　という水産学上の問い合わせを多数受けた（ほらみろ，普段，人のことを批判しているのに，問題が起こったら基礎研究者のところに聞きに来る，ということで基礎研究の重要さをわかってもらえたのではないか，というのが私の本音である）．当時この問いに答えられたのは，私と九州大学水産学科の大嶋雄治氏だけだったと思われる．私はキンギョを用いて，大嶋氏はヒメダカというモデル魚を用いてホルモンあるいは内分泌撹乱物質が魚の生殖行動に及ぼす影響について基礎的な研究を行っていた．水産学科という応用科学の分野に所属していても，モデル魚を使った基礎研究の重要さを感じた経験であった．

応用科学

一方，応用科学は社会とかかわりのある科学で，学問分野としては，工学，農学，水産学，医学，薬学，環境科学などがあり，大学ではそれぞれの学部がある．応用科学には，基礎科学，人文

基礎科学： 物質，生命，地球，宇宙についての理解を深める学問
学問分野：物理学，化学，生物学，地学，天文学など
（大学では理学部）
＊ものごとの性質，しくみを明らかにする．
●客観論　答えは1つ　　**解説** Explanation

応用科学： 社会とつながりのある科学
学問分野：農学，水産学，工学，医学，薬学，環境科学
＊基礎科学，人文科学，社会科学が含まれる．
＊ものごとの性質，しくみを明らかにし，社会の問題の解決をめざす．
●主観も含める　答えは1つとは限らない．　**解決** Solution
例　食品科学

図7．基礎科学と応用科学（Basic Science & Applied Science）

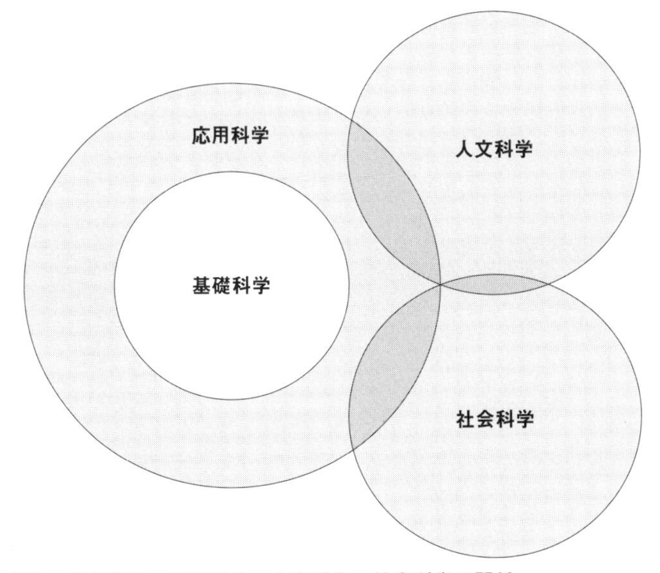

図8．基礎科学，応用科学，人文科学，社会科学の関係

科学，社会科学が含まれ，ものごとの性質，しくみを明らかにし，社会問題の**解決** solution を得ることを目指している（図7，8）．研究の状況によっては主観も含め，答えはひとつとは限らない．

基礎科学 （客観的事実） 栄養	人文科学 （人の心，気持ち） おいしい	社会科学 （社会のきまり） 安い，安全

基礎科学，人文科学，社会科学の３つのバランスが大事
どうしたらよい？　どう解決する？ ──→ **応用科学の役割**

応用科学が目指すもの ──→ **人がハッピーになるために（福祉）**
Quality of Life のための Science

図9.　応用科学（食品科学を例として）

応用科学のひとつの例として，食品科学について考えてみよう（図９）．ある国において食料が不足し，子供達が栄養不足になっていたとする．そこで日本から食料の援助をすることになった．そこでどのような食べ物を現地に送るのか考える必要がある．まずその食べ物の栄養価が高くなければいけない．ヒトの栄養要求は基礎生物学的にわかっているので，これをみたすものでなければならない．次にどのような味のものを送るかが重要である．栄養価が高くてもおいしくなければ子供たちは喜ばない．また日本人がおいしいと思っても現地の子供達がおいしいと思うかを考えなければならない．これは主観の入る人文科学的要素である．さらに栄養価が高く，現地の子供が喜んでくれる味のものでも生産コストが高ければ実現できない．これは社会科学的要素である．これらの３つのバランスをどのようにとり，問題をどのように解決するのかが，応用科学と言える．そして応用科学の目指すものは，福祉（Well-being）すなわち人がハッピーになるためであり，応用科学は生活の質（Quality of Life）のための Science とも言うことができる（森，2011）．

以前，ある高校の生物学の先生が，「応用科学は産業を支援す

る金儲けのための学問でしょ！」と言っていたが，これは大きな間違いである．基礎科学の分野にいる研究者は，応用科学は答えがひとつではないので，純粋な科学ではなく実学である，というコメントをする人もいる．また応用科学では人々の価値観が入り，価値観というのはそもそも人それぞれみな異なるので，応用科学では答えは永遠にでないのではないかとコメントする基礎科学者もいる．応用科学において最終決定をする際は，ものごとに優先順位をつけ，各項目のバランスを最適にすることが重要であると考えられる．また応用科学においても，基礎科学がベースとなっており，この部分に主観，経験論を入れてしまうとエビデンスベイスド（evidence based）ではなくなり，科学ではなくなってしまう．

11）科学と技術

科学（science）の発展には**技術**（technology）の発展が必須である．野口英世氏は光学顕微鏡を使っていたが，その後，電子顕微鏡が開発されて，医学だけでなく多くの科学の分野が発展したことは言うまでもない．古代においては科学と技術はまだ結びついておらず，科学的知識が応用されて技術が開発されたのは 17 世紀末以降とのことである（ジルガストン・グランジェ，2017）．そしてこれらの技術の発展は基礎科学の発展，応用科学の発展に大きく貢献することとなる．実際，ノーベル賞の受賞の業績をみると，科学的新発見だけでなく，技術の発明も数多くみられる．ただし，科学も技術も使い方を誤れば社会に弊害を及ぼすこともあり，また倫理的な問題をクリアしなければならないものもある．

12）再び科学とは

これまで科学について解説をしてきたが，ここでもう一度科学について英語で表現されたものをもとに考えてみよう．筆者は1989年にカナダ・トロント市にあるロイヤル・オンタリオ博物館を訪れた．ここに示した文章はその時に博物館の入口に掲示してあったものである．その時筆者は英語，科学がよく分かっておらず，ここに書いてあることは理解できなかった．しかしきっと何か重要なことが書いてあるに違いないと思って，手書きで一字一句メモをした．デジカメもスマホもない時代であった．今は，この文章がとても気に入っていて，大学の科学についての講義では必ず学生に配布している．研究の世界では，英語がわからなくても科学研究はできるが，英語ができないと科学研究者にはなれないと言われているので，ここではあえて和訳はしない．読者が各自で和訳するなりしてこの文章を味わってほしい．私が大事だと思っているところは太字でイタリックにしてある（博物館の許可をとって掲載）．

A Hypothesis is Never True

A hypothesis is never true.

A hypothesis ***can't be proved***, only ***supported or rejected***.

The curator searches for patterns, relationships, and trends in the information gathered during analysis.

As these patterns emerge, they are used to test the hypothesis.

If the patterns fit the hypothesis,...... then the hypothesis is ***reinforced***.
Each time the hypothesis is tested and fits the data, it becomes more useful as ***an explanation of how things work***.

However, further research may turn up patterns that do not fit.

If the patterns do not fit the hypothesis, ... then the hypothesis must be *rejected or modified.* The modified hypothesis must in turn be tested.

But whether the results of research support a hypothesis or reject it,
our understanding of the world is advanced.

Royal Ontario Museum (Toronto, Canada)

この中でも特に私が気に入っているのが下線をした２か所である．最初の「ものごとがどのようにはたらくか」という解説，これは「ものごとのしくみ，メカニズム」の解説ができるようになるということである．ものごとの性質を知るだけでなく，ものごとのしくみを知ることによって，そのことの理解は大きく深まる．ここの things の部分を具体的に，cells，genes に置き換えると，細胞がどのようにはたらくのか，遺伝子がどのようにはたらくのか，という解説となり，また things を our society と置き換えると，社会がどのようなしくみで動いているか，という解説ができるようになるということである．

２番目の下線部の the world は，仮説が支持されても棄却されても世の中のものごとの理解は深まるということである．たとえ仮説が棄却されたとしても，これとこれには因果関係はない，ということがわかり，これもまた重要な知見となるのである．ただしこれはいわゆるネガティブデータで，論文にはなりにくい．またこの部分もより具体的に cells, genes, あるいは our society に置き換えることができ，これらのことの理解がより深まる，となる．本書の冒頭で，科学とは「**ものごとをよりよく理解するためのものの考え方**」と書いたが，この文章はまさにこのことを説明している．またこの説明文には science という言葉が出てこないところがおもしろい．

ここまで科学について説明をしてきたが，このような説明を私は講義中に教えられたことはなかった．試行錯誤，経験論の世界から独学で科学について勉強をした．そのため科学を理解するのにずいぶん回り道をしてきたと思っている．**日本の高校，大学において，科学の成果を知識として教えるだけでなく，その成果が得られた根底にある科学的ものの考え方をきちんと教えることがとても重要であると筆者は強く感じている．**

コラム3　学問分野名における -logy，-ics，と -y，文と理

日本語の自然科学という言葉は，英語の Science の訳語として作られたということは本文中に書いたが，英語で学問の分野名を眺めてみると，接尾辞として -logy のつくものと -ics がつくものに分かれる．またまれに -ic と単数形のものもある．-logy の語源は，ギリシャ語の logos（言葉，論理）が由来である．一方，-ics はギリシャ語の -ika が語源で，その意味は，「～に関する事々，科学，芸術」などである．ギリシャ語の -ika がラテン語で -ica となり，17 世紀に英語で -ics が学問名を表す一般的な接尾辞となったと言われている．なお -ics は，形態上は複数形であるが，意味上は単数扱いとなる．興味深いことに Oxford English Dictionary は，-logy, -ic を学問を表す接尾辞として認めているが，-ics は辞書にはなく，まだ正式に接尾辞として認めていない．-ics がつく学問分野は歴史上まだ新しい学問分野の英語名ということになる．しかし最近にできた新しい学問分野でも -logy をつけて学問名としたものがみられる．たとえば Forensics（法医学）は 17 世紀初頭に確立された学問であるが，Criminology（犯罪学）は 20 世紀初頭にできた学問である．最近の学問名は当時者が好みで接尾辞をつけているのではないかと勝手な想像をしてしまう．さらに接尾辞として -y をつけるものもある．この -y は Oxford English Dictionary にも出ており，「～に関するもの」とのことである．

以下にいくつかの例をあげる．

-logy: Theology, Biology, Physiology, Pharmacology, Geology, Psychology, Immunology, Archeology, Criminology, Astrology

-ics: Physics, Linguistics, Politics, Mathematics, Statistics, Economics,

Forensics
-ic: Arithmetic, Logic, Rhetoric
-y: Anatomy, Chemistry, Philosophy, Astronomy

-logy の最後の Astrology は，天文学ではなく，占星術（占星学）を意味する．天文学は Astronomy である．Chemistry については，高校生の時，英語の先生が「Chemistry は Alchemy（錬金術）から派生したものである．Alchemy は金儲けを目指した技術であり，したがって Chemistry も学問ではなく技術である．だから -logy はつかない」という説明を授業中にしたのを覚えている．本当かどうかはわからない．化学の歴史を調べると，アントワーヌ・ラヴォアジエが質量保存の法則を発見した際（1774 年），化学における細心の測定と定量的観察を提唱してから化学が科学となったと言われている．最近では -logy，-ics，-y もつけずに，～ science という学問名が増えてきたように思う．例：Earth science, Environmental science, Information science など．

一方，日本語ではどうだろうか．学問名の学の前に「文」あるいは「理」がつくもの，どちらでもないものがみられる．「文」がつくものの例としては，天文学，地文学，水文学，人文学など．最後の人文学は，じんもん学と読む．人間界で起こっている様々な事象を包括してとらえる学問である．ここでの「文」の意味は，「表面上はわかりにくい物事のしくみ．すじみち」であり，このことから学問の名前に組み込まれたのではないだろうか．現代のじんぶん学は英語の Humanities の訳語で，人の営みについて考える学問である．じんぶん学の「文」は，「文化，文明」を意味する．「理」がつくものとしては物理学，生理学，薬理学，論理学，倫理学などがある．ここでの「理」の意味は，「論理，ことわり」であり，これも学問を示す言葉として使われたのだろう．物理学は物のことわりを，生理学は身体のことわりを，薬理学は薬のことわりを明らかにする学問ということになる．私の推測では，おそらくこれらの学問名は，江戸時代，明治時代に西洋から入ってきた学問の和訳としてつくられたのではないかと推測する．その後，日本語の学問名は英語の中国語訳を転用したか，日本語独自につくったのではないだろうか．「文」と「理」の使い分けについては，「理」は実際に実験をして確かめることのできる学問，「文」は一部分から全体像を推測する学問に使われたのではないだろうか，などと私は勝手な想像をしている．歴史的な根拠はない．江戸時代から明治時代にかけてオランダ語，ドイツ語あるいは英語の学術用語を日本語に「訳す」のではなく，日本語で「つくる」のはさぞかし大変な作業であったと思われる．その中でも杉田玄白らが，オランダ語の zenuw（英語の nerve）を神気（心）の通る経脈（道）として「神経」としたのは秀逸であると思われる．当時の日本の科学の発展にかかわった先人たちの努力には敬意を表する．一方，誤解を招く和訳もある．Genetics は日本語では遺伝学と訳されるが，この Genetics は heredity（親の形質がどのように子に伝わるか）と variation（同じ親から産まれた子になぜ多様性があるか）を扱う学問として 1905 年に提唱された言葉である．現代では，Genetics は遺伝子（gene）にかかわる学問として，heredity も含む Gene Science を意味するが，なぜか日本では一般的に遺伝学というと heredity の意味だけにとられることが多い．

以上，学問の名前について述べてきたが，これらの情報は専門家に尋ねたり，インターネットで調べたりしたが，かなりの部分が私の推測に基づいている．だからあえて引用文献も示さない．コーヒーブレイクの時のネタとして，話半分として読んでほしい．

第3章

研究とは

1）研究とは何か？

科学者は科学的に研究をする．それでは研究とはなんであろうか．研究とは何かを簡単に説明すると，「**新しい事実あるいは新しいものの見方を見つけ出し，社会に有益な情報として発信すること**」である．新しいことを見つけても研究論文として社会に公表しなければ研究とはならず，自分だけの趣味となってしまう．研究者が国の税金を使って研究をしているのであれば，研究を公表すること，論文を書くことは研究者の必須の義務である．

2）なぜ研究者は研究をするのか

これは研究者ごとに様々な理由があると思うが，多くの場合，新しいことを知った時の感動，まだ誰も知らないことを自分が世界で初めに知ることが楽しいから（長尾，2014），などであり，研究者によっては，ライバル研究室より先に結果を得られたことがうれしい，などの理由もある．発見の科学的な意義の大小は別として，**研究者は新発見の感動を味わいたくて，また知的好奇心をみたしてくれる作業にワクワクして研究活動を続けているのではないだろうか**．私もその一人である．しかしこういうことは，プロの研究者にならなくても日常的にあるいはアマチュアでも味わうことができる．それでは，ある種の人々はなぜプロの研究者になりたがるのだろうか．ある人は，新しい科学的知見を公表し，社会に貢献したいからと考えるだろうし，ある人は研究者としてビッグになりたいから，社会的地位を得たいからと考えるかもしれない（残念ながら，お金持ちになりたいのだったら研究者になるのはあまり適切な方法ではない）．私もこれらの考えをある程度もって研究を続けてきた．私の研究室の方針としては，「誰も思いつかなかったおもしろい研究」，「誰も思いつかなったけれど社会で大事な研究」ということを研究室のポリシーとして掲げてきた．私は必ずしも最先端の研究をしているわけではないが，私自身はユニークな研究をしたいといつも考えている．どんな研究がしたいのかと問われたら，「どうしてそんな研究テーマを思いついたのですか？」と聞かれるような研究をしたいと考えている．セレンディピティー（serendipity）という偶然の発見というのも私の好きな言葉である．偶然といってもそのことを見落とさない観察力，科学的センスは必要であると思われる．

3）ポリシー（Policy），フィロソフィー（Philosophy）をもつべし

これらも人それぞれであるが，私の場合は一般的なフィロソフィーとは少し異なると思っている．私の考えでは，私にとっての研究は，アートであり，自己表現である．ピカソが絵を描き，モーツァルトが作曲するのと同じであり，私の研究は，私の作品である．この考え方の根底には私の留学先のメンター（指導教員）であったノーム・ステイシー教授（カナダ・アルバータ大学）の大きな影響がある．大学院生の時にステイシー先生の講演を聴き，研究者としてのあこがれを感じ，実際にポスドクとしてステイシー先生のところに留学することができた．他にも留学する研究室の候補はいくつかあったが，それらの研究室からは，1つの研究テーマを多くの学生，ポスドクが分担して研究を行う「論文生産工場」といった印象を受けた．それに

対してステイシー先生の研究室は，各自が自由な研究を行う少人数のアトリエあるいはスタジオといった雰囲気で，私にはその雰囲気がとても魅力的に感じられた．実際，私が実験をして良い結果が出ると，elegant，beautiful といった言葉で評価をしてくれた．

私のような考えの研究者としてのフィロソフィーは，学生には必ずしも勧めないが，私のような考えの研究者が研究の分野に多少はいてもよいかと自分では思っている．実際，物理学者の池内了氏は，研究を進める感覚は芸術家の感覚と似ていて，研究は自分自身を表現する仕事と述べている（池内，1996；2007）．自分とは異なる研究分野の大先輩が自分と同じような感覚を持って研究をしていることを知り，とてもうれしくなった．同様なことは物理学者の長谷川修司氏（2006），脳科学者の酒井邦嘉氏（2006）によっても述べられている．**どのようなフィロソフィーでもよいが，研究者であるならば研究者としてのフィロソフィーを持つことは必須である．**

第4章

研究室とは

1）構　成

これまで多くの国立の日本型の理科系の研究室は，教授，准教授，助教という教員がいて，**教授**が研究室のチームリーダーとなって研究室の運営を行っていた（図10）．**准教授**，**助教**は，教授のサポートを行っていた．教授は不祥事さえ起こさなければ定年までその研究室の教授でいられるが，教授が定年でやめたあと，近年は，そのポストの後任は公募で選ばれるため，その研究室の准教授が必ず所属研究室の教授に昇進するとは限らない．ただし准教授の任期は限定されていないので，その大学での昇進がなくても，本人が准教授のままでいることを気にしなければ，定年まで准教授のまま大学にはいられる．**助教**は通常，任期制で任期満了時までに，その大学あるいは他大学でポストを得ないと職を失うことになる．ここまでが確実に給料をもらえるポストである．**ポスドク**は給料がもらえる場合と，無給の場合がある．他に研究室の構成員として，**大学院生**，**学部の卒業研究生**がいる．大学院大学，医・歯学部では基本的に卒業研

A	B	C	D	E
教授(PI)	教授(PI)	教授(PI)	*准教授(PI)*	*助教(PI)*
准教授	ポスドク	ポスドク	*ポスドク*	*ポスドク*
助教	大学院生	学部生	*大学院生*	*大学院生*
ポスドク	学部生		*学部生*	*学部生*
大学院生				
学部生				

PI：Principal Investigator

図10.　大学の研究室の構成員とPI
PIとは研究室の責任者となる研究者のことをいう．これまでは左の3つの構成による研究室が多かったが，最近は右の2つの構成による研究室のように准教授，助教がひとつの研究室の PI となることが増えてきている．

究を行う学部生はいない．また大きな研究室では研究補助のための技術員，事務補助のための事務員がいることもある．私立大学および最近の国立大学では，准教授，助教もひとつの研究室の独立したチームリーダーとなって研究室を運営することが増えてきた（図 10）．アメリカでは，**研究室の責任者となる研究者を PI (principal investigator)** と呼んでいる．以降本書では，研究室の責任者（チームリーダー）を PI と呼ぶことにする．

このように理科系の研究室では，PI をリーダーとした研究設備，科学情報を共有するひとつの**社会的なグループ**ができる．これは講義，学生実験などでできる**教育上のグループ**とは明らかに性質が異なる．私は毎年 4 月に研究室に新しく来る卒論生に「講義室，学生実験室は学校，ラボは社会．私は講義室，学生実験室では先生をやっているが，ラボではプロの研究者として働いている．だから君たちもラボを学校とは思わないように」と伝えている．

2）PI (Principal Investigator) の仕事

PI は研究室のメンバーが研究できるように研究費を獲得し，設備，消耗品をそろえ，ポスドク，大学院，学部生の研究の指導にあたる．PI は研究室の物とお金の管理を行うが，同時に研究室のメンバーの人間関係の管理も行う．物とお金の管理はある程度機械的にできるが，多くの PI がもっとも頭を悩ますのは研究室の人間関係の管理ではないだろうか．実験室で起こる「物」に関するトラブルは，多くの場合，完全な解決が可能であるが，「人」とのトラブルは解決が長引き，後にしこりが残りやすい，とのことである（酒井，2006）．カナダに留学した時，たくさんのポスドク，大学院生をかかえる隣の研究室の教授が，研究室の平衡はとても fragile で，研究室の平衡を良好に維持するために多大な努力をしている，と言っていたのを覚えている．確かに今思うとこの先生はとても面倒見の良い先生で，どの学生に対しても同じように親切であった．

大学院，ポスドクの時には研究のやり方のスキルは身につけていたとしても，学生の教育，研究室の管理のスキル，特に人間関係の管理の心理学的スキルを学ぶ機会はほとんどないのが日本の大学の現状である（長谷川，2014）．それでも自分が PI となったら，そんなことは習ってこなかったなどとは言っていられない．研究室を立ち上げて学生が所属したら，研究室は動き始めるのである．日本では新任 PI は小型船を操縦するスキルはあっても，大型船の船長のスキルは身につけないまま船は出航する．企業であれば，ＭＢＡ（Master of Business Administration 経営学修士）の取得課程によって，ビジネスパーソンとしてのリーダーシップを学ぶのかもしれない．またこれは日本独特の大学のシステムかもしれないが，教授，准教授，助教でひとつの研究室を構成することがある．この場合，教授が PI とすると，准教授，助教は非 PI 准教授，非 PI 助教となる．海外の多くの大学では Assistant Professor（日本の助教）のポストを得るということは，PI になるということである．日本の大学でも助教，准教授が PI としてラボをもつ場合もあるが，PI である教授と非 PI 准教授，非 PI 助教がいる場合，PI である教授は准教授，助教に対して設備，研究費などの支援をし，准教授，助教は別の面で教授をサポートするというのが本来の建前である．しかし，日本の多くの研究室において PI がリーダーシップを発揮し，非 PI 教員がそのもとですぐれたフォロワーシップを発揮できるかは微妙である．研究者として才能のある人でも PI になると下につく人との人間関係がうまく構築できないことがあり，研究の進行の制限要因となることがある（酒井，2006）．近年の傾向としては，設備，研究費などは共有し，研究活動は PI と非 PI 教員が独立して行うようになってきている．

3）重要な，研究室の良好な人間関係

繰り返しになるが，研究室の人間関係を良好に維持することは簡単なことではない．国際誌 Nature のアンケート調査（2018）には，**『気付いてないのは PI だけ？』**というタイトルで，以下のようなことが述べられている．

「3200 人の科学者を対象とする調査から，研究室の PI からのプレッシャーや PI の指導力に対する不満により，世界中の若手研究者がストレスをためていることが明らかになった．」

またインターネットのサーチエンジンで「研究室 行きたくない」および「研究室　人間関係」というキーワードを入力すると驚くほどたくさんのサイトが検出される．どんな内容が書かれているかは，あえて説明しなくても想像がつくと思う．今どきの大学院生には根性，忍耐力がなくなったというより，PI の管理方針に問題があるのではないかと考えられる．このことに呼応してか，「研究室　選び方」と入力するとやはりたくさんの親切な説明のサイトが出てくる．大学院，ポスドクで新しい研究室に入ったはいいが，どうもうまくいかない，ということが

多いのではないだろうか．最近はドクターに進学してからメンタル面でダメになってしまう人がたくさんいるとのことである（坂部，2014）．

私自身は，卒論生，大学院生，2回のポスドクのときはとても楽しく充実した研究生活が送れた．毎日，研究室に行って実験をしたいと思うほど楽しく幸せであった．しかし助手（現在の助教），助教授（現在の准教授）時代は自分の未熟さもあって，とても辛い日々だった．研究のことしか知らず，まさにラボのマネジメントのスキルは身につけておらず，さらにラボの人間関係になると困難を極めた．ここでは，自分の過去の反省の意味も含めて，自分の体験談，人から聞いた実際に起こった事例を紹介する．

私は，高校，大学とアメリカンフットボール部（中学，高校は美術部にもいた）に所属していた体育会系の人間であった．大学院時代は，理科系の実験系の研究は，体育会同様，体力勝負が重要と考えて実験を行っていた．また世界の研究レベルに追いつくには，1週間で7日ではなく，8日分仕事をするようにと後輩たちを叱咤激励していた．これは今では明らかにパワーハラスメントである．また友人から聞いた話では，ある研究室で大学院生が教授に反論をしたら，胸ぐらをつかまれてシャツのボタンがとれたとのこと．さらにその教授は，大学院生が風邪をひいてアパートで休んでいたら，アパートの前まで来て，「風邪ぐらいで休むな」と大声で名指しで呼び出されたとのことである．別の研究室では，大学院生が教授に投稿論文の原稿を渡し，数日して添削後の原稿を受け取りに行ったら内容がひどすぎると，目の前で原稿を真っ二つに破られたとのことである．さらに研究室の宴会でイスラム教徒の留学生にしつこく酒を勧める教授もいたとのことである．このようなハラスメント行動は今では許されない．

研究室の人間関係は研究室内にとどまらず，研究室間に及ぶこともある．ある大学の A 教授と B 教授は仲が悪く，A 教授は自分の研究室の学生たちに B 教授の研究室の学生とは会話をしないようにとの通達をした．この場合，学生に問題があるわけではないが，学生の学内での自由が制限され，学生は不要なプレッシャーを受けることになる．

これらの PI が学生にプレッシャーをかける行動は，学生が精神的プレッシャーを受けて不登校になったり，教授の満足するようなデータを捏造する，といった不正行為の誘発にもつながる．また学生のメンタルヘルスにも影響が及ぶこともあり，最悪の場合，自死にいたる可能性もある．

4）PI として必要な心理学的スキル

良好な人間関係の維持の難しさは，教授－学生間だけでなく，教授－他の教員間，ポスドク－学生間，学生－学生間においても起こりうる．これらのケースでは，多くの場合，プレッシャーを感じる側の人間が研究を中断して研究室を去るという残念な結果になる．こうして日本の科学の芽がひとつ摘まれるのである．このような残念なことは，私自身も過去に教員として起こした経験があり，また私自身が出身研究室から離れた理由のひとつにはこのようなこともある．

このような不幸な結果を減らすためには，PI を目指すポスドク，大学院生は PI になる前に，あるいは新任教員は PI としてのリーダーシップの心理学的なスキルについて学んでおく必要があると思われる．しかしまだまだ大学の先生が事前に教育のスキルを身につける場はあまりない（長谷川，2014）．

2008年に日本の文部科学省は大学にファカルティーデベロップメント（FD）を行うことを義務化した（沖，2019）．これは各大学における教員（ファカルティー）に研修を行い，教員のレベル，教育の質を上げることが目的である．カリキュラムの見直し，学生の授業評価システムの導入による講義内容，講義方法を改善，新任教員研修などである．きめ細かなFDによって大学の教育の質が上がることは明らかである．

また近年，大学教員になる前のポスドク，大学院生への大学教員養成プログラムの重要性が提唱されるようになってきた（コラム4参照）．イギリスのエルビッジら（2020）はその著書（第7章であげた『ポスドクの流儀　悩みを解きほぐして今日から行動するためのチェックリスト』）の中で，ポスドクはPIに必要なスキルを把握し，ポスドクの間にそれらのスキルを身につけることを推奨している．またイギリスでは大学院博士課程の講義に「PIになるための心得」というものがあるそうである．

日本のいくつかの大学においても大学教員養成プログラムの取組みが行われている（今野，2016；大学教員イノベーション日本，2018）．それらは総じてプレFDと呼ばれるが，大学ごとに名称は異なり，PFFP（Preparing Future Faculty Program），FFP（Future Faculty Program），PFF（Preparing Future Faculty）などと称している．このプレFDは大学院の授業として行われるものと，課外プログラムとして行われるものがある．名古屋大学では「大学教員養成プログラム」として集中講義が行われ，これらの内容は『大学教員準備講座（玉川大学出版部）』（第7章参照）として，出版され，その講義の教科書と利用されている．

筆者は，FDのひとつである新任教員研修およびプレFDの講義項目にPIとしてのリーダーシップのあり方についての講義を充実させることを強く提案する．日本の研究室において，PIが研究室の人間関係を良好に保つ心理学的スキルを身につけ，日本中の研究室から「研究室　行きたくない」の状況を減らすことにより，日本の科学研究の効率は大きく上がるのではないだろうか．日本の研究室の科学的ポテンシャルは世界の中でもかなり高いのではないかと思われる．しかし，そのポテンシャルが研究室の人間関係が制限要因になって十分に発揮されないとしたら，それはなんとももったいないことではないだろうか．実際に問題が起こってから当事者がカウンセリングセンター，人権委員会，最悪の場合は裁判所に行く前に，問題を少しでも減らすための事前のシステムの構築が必要であると考えられる．

コラム４　スキルとテクニックの違い

スキル：技能．努力や訓練などによって身につく能力．多様な状況に対応できる能力．知識と実践をもとに身につける能力．ビジネススキル，コミュニケーションスキル，パソコンスキル，コーチングスキルなど．スキルを高めるという意味のスキルアップは和製英語．
テクニック：技術．マニュアル化できるもので，それを使えば誰でも一定の効果が期待できるもの．特定の状況下で発揮される能力．スポーツのテクニック，科学の測定，分析技術など．
例：サッカーのシュートやパスはその練習を繰り返すことによってそれらのテクニックのレベルが上がる．それらを試合のどのタイミングで使うかという対応能力がスキル．

第5章

ラボメンタルコーチングの必要性

大学院生にいかに効率よく論文を書かせるか，いかに研究室の生産性を高めるか，といった内容の論文や本をみかけることはあるが（近藤，2018；白木，2019），研究室のメンタルコーチングについて記した本はほとんどない（山本，2015）．

1）メンタルコーチングとは

メンタルコーチングとは，クライアント（コーチングを受ける人あるいは集団）とのコミュニケーションにより，コーチがクライアントのモチベーションを高め，クライアントのもつ潜在能力を引き出し，目的達成のための実力を発揮させ，クライアントが幸せな人生を送れるように手助けすることである．世の中にはいろいろな種類のメンタルコーチが存在し，クライアントはスポーツ選手，スポーツチーム，ビジネスパーソン，ビジネスのプロジェクトチーム，ミュージシャン，役者，育児をする親などで，メンタルコーチングを受けることにより悩みを解消し，目的達成のための成果をあげている．

ここで私が考えるのは，研究室のPIは個人的にプロのメンタルコーチから研究室の人間関係を整えるためのカウンセリングを受けるか，メンタルコーチングの講習会，通信教育，本などを通して，PI自身がメンタルコーチングのスキルを身につけることが重要なのではないかということである．この場合，研究室の人間関係を整えるためのメンタルコーチングということで，私は「**ラボメンタルコーチング**」という名前を考えた．PIがカウンセリングを受けてメンタルコーチングを学ぶとしたら，研究室はひとつのチームであることから，ビジネスチームを対象としているメンタルコーチのカウンセリングを受けてみるのがよいのではないか．またPIが書物を通して学ぶのであればスポーツチーム，ビジネスチームを対象としたメンタルコーチングの本がよいのではないだろうか．

私個人としては，本書第7章で紹介した山本好和氏の本および鈴木颯人氏の4冊の本を強く勧める．鈴木氏をはじめとする何冊かの本をもとに私が考えたラボメンタルコーチングの意味は，「PIがその役割として，研究室のメンバーのモチベーションを高め，メンバーが研究成果をあげ，そしてメンバーが幸せな研究生活を送れるように，メンバーを導くことである」そしてその結果，研究室としての業績が上がり，社会に価値ある科学情報が発信されるということになる．またその結果として，PIが幸せを感じることは言うまでもない．特に重要なことは，研究室の業績に強い重きを置きすぎないことだと思われる．脳生理学者の酒井邦嘉氏は，その著書において「PIはスポーツのコーチと同じ役割を果たしているわけで，最先端をめざしてまさに学生と二人三脚で進むことになる」と述べている（酒井，2006）．また佐藤雅昭氏は，PIになったときのリーダーシップとして，管理型リーダーシップではなく，支援型リーダーシップを推奨している（佐藤，2016）．自分の研究業績を第一に考えるのでなく，メンバーの目標達成の支援をすることが一番重要と述べている．

このあとでPIの心得として述べるが，PIはメンバーにあれこれと指示を出すのではなく，メンバーに寄り添うということである．しかし，PIが学生に対して気を遣うことは重要であるが，もちろん学生がPIの研究方針，性格を知り，PIに気を遣うことが重要であることは言うまでもない．

2）PIのラボメンタルコーチングのスキル

ここでは，第7章で紹介した山本好和氏の本および鈴木颯人氏の本4冊の一部を引用してPIのラボメンタルコーチングのスキルについて簡単に紹介したい．山本氏，鈴木氏の本の中でリーダーとなっているところを，ここではPIと置き換え，メンバーはそのままメンバーという言葉を使うが，本書では研究室のメンバーを指す．

1）PIの心構え

①メンバーとの信頼関係を築く
②メンバーに歩み寄るのではなく，寄り添う
③メンバーが研究室の一員であると認めていることをメンバーがわかるようにする
④ PIの過去の成功経験を押しつけない
⑤メンバー間の競争をさせない
⑥メンバーに教えるのではなく，自分で気づかせる
⑦メンバーのモチベーションを高める努力をする

2）PIがメンバーの信頼関係を得るには

①オフィス，ラボの整理整頓
②メンバーの話をよく聴き，自分のことのように共感する
③自分の失敗談を話す
④結果ではなく，プロセス（メンバーの努力）を褒める
⑤「出来ない理由」を考えるのではなく，「どうしたらできるようになるか」，一緒に考える

⑥自分を成長させて，メンバーを成長させる
⑦なぜその研究を行うのかという説明責任を示す
⑧自分の伝えたいことがメンバーにうまく伝わっているか，メンバーがどう受け止めているか，随時確認する．

3）メンバーのモチベーションを高めるには

①メンバーがワクワクする具体的な目標を設定する
②目標の期日を決める
③大きな目標と小さな目標をつくる
④適宜，目標のみなおしをする
⑤研究の楽しさを実感させる
⑥自分は実験には向いていないというメンバーの思い込みを外してあげる
⑦メンバーの動機を「やらされモード」から「やりたいモード」に変える
⑧否定語（〜ができていない）ではなく，肯定語（〜するともう少しよくなる）で批判をする
⑨研究者になることを目指していない学生に対しては，彼らが次に目指すことを精神的に賛同した上で，現在の研究を楽しんでもらう．

以上が鈴木氏，山本氏の著書から，ラボメンタルコーチングにあてはまりそうなところを選んでまとめたものである．鈴木氏はその著書（2018）の中で強いスポーツチームは，部員が皆で部室を整理整頓していて，弱いチームの部室は汚いことが多いと述べている．

私も多くの研究室を訪れてみて，オフィス，ラボの整理整頓とラボの生産性には正の相関があるように思える．また来客が来たときは，ラボをきれいにしておくことは来客者への礼儀であり，ラボが汚いとその研究室のデータの信頼性を疑われかねない．さらに物の整理整頓だけでなく，情報（本，論文，研究室のメンバーに関する情報）の整理もまた重要である（山本，2015）．私のこれまでの人生経験から，研究の分野に限らず，仕事場の整理整頓がなされていない人は実力があっても仕事で成功していない人が多いように思う．

学生に競争意識を持たせない

学生の個性は多様であり，学生の研究ペースも学生により異なる．研究の進んでいる学生を例にあげて研究の遅れている学生に競争意識をもたせるようなことは好ましくない．また学生が研究に行き詰まっているとき，PIがその解決方法をわかっている場合，PIはすぐにその方法を教えるのではなく，ゆっくり学生と議論をして，学生にその解決方法を気づかせ，学生自身からその解決方法を言わせる，ということが学生の問題解決能力の向上につながると言われている．しかし，これは言うは易しで行うは難しである．私は学生のためを思って，それはこうすればいいよ，とすぐに言ってしまい，学生からさすが先生ですねえ，と言われて悦に入ってしまうが，ここはぐっと我慢が必要なのかもしれない．

自分の成功体験を押し付けない

また自分の成功体験を押し付けない，ということも重要である．大学の教員はそれなりに選び抜かれた人であり，何らかの成功体験をもっているものと思われる．自分はこのやり方で今の地位を築いてきたのだから，この研究室でもこのやり方でやると考える教員は多いのではないだろうか．私自身もかつてはそうであった．また学生が何か問題を起こすと，教員は，自分はこれまでと同じやり方でやってきているのだから，問題は学生の方にあり，自分のほうには落ち度はない，と考えてしまう傾向があるのではないだろうか．しかし時代とともに若者の気質は変わり，しかも学生の背景は多様化しているということを認め，時代とともにPIがやり方を変えてPI自身も変化（成長）していくことが重要ではないだろうか．「相手を変える」前に『自分が』変わることがリーダーの信頼，メンバーのモチベーションにかかわってくる（伊庭，2014）．

メンバーに研究室の研究の方針，各メンバーの研究テーマの科学的意義の説明を

さらにPIは各メンバーに研究室の研究の方針，各メンバーの研究テーマの科学的意義をきちんと説明する必要がある（山本，2015）．学生によっては「それは意味がないとか，労力の割りに得られる成果が小さい」などといった不満を示すことがある．そこはPIがきちんとその研究テーマの目的と重要性を説明する責任があり，いかにメンバーをワクワクさせるか，ということが重要である．

学生に物事を伝える時も注意

学生に物事を伝える時も注意が必要である．実験の技術を学生の前で実演すれば，学生は技術を身につけることができるが，言葉で何かを伝えるとき，相手によって解釈が変わることがあ

る（鈴木，2018）．ラボに３年間いる学生とラボに来たばかりの学生では，同じことを言っても後者は別の解釈をしてしまうことがある．特に気をつけるのは，相手がどう受け止めるかということである．３年間ラボにいる学生に注意をすると，それはPIからのアドバイスと受け止めるかもしれないが，ラボに来たばかりの学生に注意をすると，叱責されたと受け止める可能性があるので物事の伝え方には工夫が必要である．

学生の研究へのモチベーションを高める

学生の研究へのモチベーションを高めるにはやはり，「この研究がうまくまとまったら～学会で発表しましょう」，さらに「十分な再現性が得られたら，この研究を～誌に投稿しましょう」というのが，学生がワクワクする目標設定になるのではないだろうか．学会発表は期日が決まっているので，目標設定として適切である．論文投稿については特に締め切りがないが，これを決めておかないとPIと学生間の論文校閲のやりとりが延々と続き，研究がお蔵入りになってしまうことがある．学生にプレッシャーを与えない範囲で投稿論文原稿の完成の締め切りを決めるのが良い．

しかし実際問題として学生が原稿完成の締め切りを守っても，忙しいPIが原稿校閲に手間取ることも多々ある．また研究は必ずしも思った方向に進むとは限らない．学位論文，学会発表，論文投稿を大きな目標とすると，日々の実験という小さな目標を計画的に行う必要がある．そして研究の進捗状況あるいは学生の家庭の事情に応じて，PIと学生は適宜目標の見直しをすることが重要である．

否定型の言葉を使わない

学生と議論をする際に，相手に対して否定型の言葉を使わない，というのもメンバーのモチベーションをコントロールする上で重要である．PI はついつい，「このままでは卒業できないよ．それでは学位が取れないよ」と言ってしまいがちである．今の時代の若者には，大声で叱ったり，否定的な言葉でプレッシャーを与えるような，恐怖マネジメントの手法は通用せず，かえって逆効果になると言われている（伊庭，2014）．否定語を使わずにメンバーのモチベーションを上げるような指示をすることが必要である．またリーダーからメンバーへの「～すべきでしょ」もあまり好ましい指導表現ではない．

メンバー間の意識の温度差を理解する

一方，山口裕幸氏は，『チームワークの心理学　よりよい集団づくりをめざして』（2008）の中で次のように述べている．

「もともとチームのメンバーは心を一つにあわせようという気持ちは持っているにしても，各自，自分の考えや価値観を持っていて，それを捨ててまでチームのために自己犠牲を払おうと考えないのが普通です．逆に，自分の考えや価値観を他のメンバーに受け入れてもらい，自分のやりたいようにやろうとするのが自然です」．

これは俗にいうメンバー間の意識の温度差であり，PI はこのことも頭に入れておくことが重要である．「私は研究者を目指しているわけではないから」，「ただ卒業のための単位がほしいので実験をやっている」などといった言葉が出てくると PI とメンバーの議論は平行線になることがある．ここは，PI はメンバーの最終目標に賛同した上で，メンバーに実験の意義，社会的貢献を理解してもらい，実験を楽しんでもらう方向に持って行くのがよいと思われる．

メンバーのメンタルヘルスについても留意

さらに山口氏は次のようにも述べている．

「優れたチームワークが高度なチーム・パフォーマンスを導くことは確かだとして，それによってメンバーのメンタル・ヘルスも良好に保たれるのでしょうか．チームの目標達成を優先するあまり，個々のメンバーは辛い思いをしても我慢しなければならない状況が生まれていないのでしょうか」

PIはメンバーのモチベーションだけでなく，メンバーのメンタルヘルスについても留意する必要がある．詳しくは鈴木氏，山口氏の本を参照されたい．また日本スポーツ心理学会（2018）によると，チームをまとめるにあたり，専制型，民主型，放任型の3種類があるという．まずPIが放任型を採択するとチームは成り立たなくなるそうである．また民主型では，メンバーのモチベーションがみな高いときはよいが，モチベーションの低いメンバーでチームが構成されると，チームの生産性の低下の歯止めがきかなくなるとのことである．その場合，PIは適宜専制型を活用することが必要とのことである．ただし，昔のようなPIの独裁専制型は禁物であることは言うまでもない．

以上，ラボメンタルコーチングのスキルについて，引用を行って紹介してきたが，自分自身の過去を振り返って心の痛む項目がいくつかある．言い訳がましくなるが，上記のようなラボメンターコーチングのスキルについて，自分がPIになる前に知っていれば，もう少しPIとしてうまく振る舞うことができたのではないかと反省する次第である．メンタルコーチングは，スポーツ，ビジネス，音楽など様々な分野で取り入れられているが，大学の理科系（医歯薬系も含む）研究室というのは，メンタルコーチングの導入が遅れている，ある意味で古くさい分野のひとつではないだろうか．「象牙の塔」（フランスの評論家，ブーブが芸術家，大学の研究者などの閉鎖社会を批判した言葉）や「白い巨塔」（山崎豊子氏による大学医学部の熾烈な教授のポスト争いの小説，全5巻，新潮文庫）などはもってのほかである．科学者は科学的にものを考えることに慣れていて，人間関係も論理的に考えれば問題は起こらない，と考える科学者もいるかもしれないが，ラボメンタルコーチングは心理学をベースとしたスキルである．エビデンスベイスドではあるが，スキルはあくまでスキルであり，論理的な実験技術ではない．研究室の人間関係に対処するスキルは，各自が意識，努力して身につけようとしなければ身につかない．もしかすると理科系研究者はこういう考え方が苦手なのかもしれない．

3）人材育成

人材育成には2つの方法がある．OJT（On the Job Training）とOffJT（Off the Job Training）である（山本，2015）．OJTは仕事の中で経験者が新人に対して技術，ほうれんそう（報告，連絡，相談）などの社会的ルールを説明する．一方，OffJTは，研修，講習会などで，メンバーのスキルアップのために行われる．企業では，新入社員の研修だけでなく，数年ごとに種々の内容（技術，人事，管理職など）の社員研修（OffJT）が行われる．一方，大学ではOJTが中心で，しかもその内容，レベルは研究室によって差があると思われる．なお秋田県立大学では教員向けに，ハラスメント研修，メンタル指導研修が行われているとのことである（山本，2015）．また大阪府立大学と大阪市立大学は合同で大学院教育改革を目指したリーディングプログラムを行っている．プログラムの目的は「産業界をリードする大学院生の育成」で工学系中心の大学院プログラムであり，本書の扱うアカデミアの世界のテーマとは異なるが，宗教，人権，権力，幸福といった人間観や価値観を学ぶ科目を大学院の必修科目にしていることは特筆に値する（河北と酒井，2019）．

前にも述べたが，大学院生，ポスドクあるいは新任教員のために，大学はラボメンタルコーチングの講習会の開催を私は提案する．あるいは大学院博士課程の講義の中に組み込んでもよいかもしれない．ラボメンタルコーチングという考え方が日本のアカデミアの世界に広がり，PIの自覚が変われば，「研究室　行きたくない」の状況がもう少し改善されるのではないだろうか．わが国のように資源が少ない国では「科学技術立国」が言われている（左巻と吉田，2019）．この科学技術の生まれるところは主として大学の研究室である．研究室のメンバーが「研究室　行きたくない」の状況では，新しい発見，発明は難しいのではないだろうか．本書が日本の科学の発展のために「研究室　行きたい」の状況を作り出すことに少しでも貢献できればと筆者は願う．なお最近は学生への対応だけでなく，親の介入に対する対応もしなければならなくなった（長谷川，2014）．この点については別の機会で論じたいと思う．

コラム5　文部科学省の取り組み

日本の文部科学省は大学だけでなく，大学院の改革，発展についても審議をしている．通常，ファカルティーデベロップメント（FD）というと学部担当の教員の教育，カリキュラムの改善などを対象としているが，大学院担当の教員のためのFDの提言をしている．さらに将来大学教員となる大学院生を対象としたプレFDという大学院教育を提唱し，ティーチング・アシスタント（TA）やリサーチ・アシスタント（RA）の活用，PIになるための教育能力を身につける授業科目の開設などの必要性を論じている．

(参考) 中央教育審議会大学分科会大学院部会．大学院教育改革の推進について　～未来を牽引する「知」のプロフェッショナルの育成～．2015　中央教育審議会大学分科会．2040年を見据えた大学院教育のあるべき姿　～社会を先導する人材の育成に向けた体質改善の方策～．2019

第6章

大学の職についたら

ここまではPIとポスドク，大学院生および学部生とのあるべき関係について述べてきたが，その他にも大学に職を得たらPIとして考えるべきことがいくつかあるので最後に述べておく．

1）学生の安全の確保

まずは学生の安全の確保をすることである．この安全は，物理的な安全だけでなく，健康，メンタルな安全も含む．私が大学院の時，一人で徹夜の実験をすることが多かった．夜中に魚から採血をした血液サンプルを持って建物の階段を上がる時，「今，ここでころんで骨折をしても，明日の朝まで誰も助けに来てくれないだろうなあ」などと呑気に考えていた．今ではこのようなことは望ましくなく，教員が付き添うか，学生を２人以上で実験をさせるのが好ましい．また学生だけの野外での調査も要注意である．私の友人は大学院の時，夜間に野外で野生動物の調査を行い，ちょっと危ない輩に取り囲まれて殴られそうになった経験があるとのことである．私は夏の炎天下での野外調査をよく行うが，地理的安全，飲み水，トイレの場所については必ず考慮している．

物理的な安全に加えて学生の健康，メンタルな安全について考えることの重要さは言うまでもない．私はPIとしてできるだけ高頻度で学生と個別に対応をしていたが，学生間の不仲な関係に気づかず，ある学生が辛い思いをしていたことに気がつかなかったことがある．個々のメンバーに目を向けるだけでなく，メンバー間の人間関係についてもある程度把握しておく必要がある．

2）同僚とうまくやっていくスキル

次に大学に職を得たら必要となる重要なスキルをもうひとつ付け加えておく．それは学生だけでなく同僚ともうまくやっていくスキルである．日本型の大学の研究室ではまだ教授，准教授と助教，教授と准教授，あるいは教授と助教でひとつの研究室といった構成が多い．ポスドクを終えていきなり教授になることはほとんどなく，助教か准教授からがスタートである．このような研究室の構成においていかに人間関係を良好に保つかということが重要となってくる．さらに他の研究室の教員との人間関係も重要である．実際，過去にある大学で教授が同じ研究室の准教授を人権委員会に訴えるという事例があり，また別の大学で異なる研究室の教授間で裁判が行われたという事例もある．どちらも理由はアカデミックハラスメントである．人権委員会案件，裁判とはならないまでも，教員間の不仲というのは学生の頃から複数例みてきている．学生が何か学内で困った時の相談所（カウンセリングセンター）はすべての大学で設置されていると思うが，教員対象の相談所というのは聞いたことがない．少なくとも私の現在勤務する大学にはない（ただし新任教員には年配の教員が1年間メンターとして相談役になるシステムはある）．問題が深刻化してからいきなり学内の人権委員会の案件になってしまうのではないだろうか．いい大人が何を言っていると思われそうだが，自分の意に反して不幸にもこのような問題に巻き込まれることもある．問題のある困った学生はいずれ研究室を離れるが，教員間の問題は一方が定年退職するまで続く．

このような問題に対処するには，教員に対してメンタルコーチング，カウンセリングを行えるスタッフを大学に置くべきではないだろうか．研究者として人生のステップアップを夢見る読者に対して，暗い話で誠に恐縮であるが，読者がこのような問題にかかわらないか，このような問題に対処できるスキルをもつことを望む．私はこのような問題に対処するメンタルコーチのスキルは持ち合わせていないが，参考となりそうな文献を参考文献の中に入れておく（斎藤，2019；八巻，2015；岸見，2017；内藤，2018；小林，2019）．異なるタイプの性格の相性というのは，マイヤーズ・ブリッグスの性格指標（MBTI, Myers-Briggs Type Indicator）である程度予想がつき，おたがいの性格のタイプがわかれば衝突回避の対応が可能なようである．しかし残念ながら，仮に仲の悪い２人の研究者がいたとしたら，この２人が双方ともこの方法で性格判定結果を得なければならないということである（ゴスリングとノールダム，2010）．これは現実的にはほぼ不可能であろう．

3）学生と一緒になって excite

最近は大学院生向けの様々なガイドブックが出版されている．それらを読むことによって大学院生は昔よりはるかに要領よく研究を進められているのではないだろうか．少なくともデータ整理，論文作成などデスク上の作業については．教員としては，「この本を読んでおいて」と言って，学生に説明する時間がかなり節約できるようになった．本書ではそれらのガイドブックには書かれていない内容に限定し，既に書かれていることについては読者自身が第７章の本，各種ガイドブックを参照してもらうことにする．しかし学生に実験技術のガイドブックを読んでもらったとしても，学生には，実験は要領を気にせずに大いに失敗，成功を繰り返すことを許して欲しいと思う．

大学院生の時，ある実験に失敗してその結果を指導教員に報告にいったら，「そうでしょう，そのやり方では失敗するんですよ」と言われて唖然とした．「先生，知っていたなら事前に教えてくれればよかったじゃないですか」と不満を述べると，先生は，「いろいろなやり方をやってどの方法がよいかということだけでなく，どの方法がだめかということも知っておく必要がある．あらかじめうまくいく方法を教えたら，君はその方法についてしか学べないじゃないか」と言われ，返す言葉がなかった．今は，時には寄り道，回り道も長い目で見れば重要だと思っている．またそういう中で，あなたが教員になったら，どんな内容でも学生が出したデータを，世界で最初だ，と言って学生と一緒になって excite してほしいと思う．

4）著者からのアドバイス

最後に私からのアドバイスを２点ほどあげておく．もしあなたが生物学系の分野で研究をしているのなら，動物の飼育室，植物の栽培室は決して他の研究室と共有をせずに，研究室独自のものをもつことを勧める．これは国内外の私の友人たちも同じ意見である．もうひとつは，あなたの専門分野に関係なく，大学内に自分の専門分野とは異なる分野の教員を親しい友人としてもつことを勧める．これらのアドバイスの説明はあえてここではしないが，大学のポストの内定をもらったら，これらのことを思い出してほしい．

コラム6　奨学金の給付型と貸与型は名前を区別すべき

日本学生支援機構（旧日本育英会）では学生に奨学金を貸与しているが，これは基本的にお金を貸しているのであとで学生は借りた金額を返さなければならない．このようなお金を英語では student lone と言い，scholarship とは言わない．奨学金（scholarship）は本来返さなくてもよい給付型のものを指すべきである．実際，そういう奨学金は日本でもいくつかある．現在，日本学生支援機構の奨学金は student lone に相当するので，奨学金という名称はふさわしくない．奨学貸与金，学生貸与金などとすべきである．「カナダに留学したときにアメリカ人の友人がこんな冗談を言っていた．カナダの学生は気楽にたくさんの student lone を借りるようだ．カナダ人と恋愛をするときはまず相手がどれだけ student lone を借りているのか聞いておく必要がある」と．

コラム7　安全な研究

（藤沼良典）

私はフィールドサイエンティストである．言い換えれば実験室でじーっとしていられないタイプの研究者である．外に出て，自然を見て，聞いて，触って，嗅いで，味わって目の前の自然がどのようにして機能しているかを追求するのが好きでたまらない，という性格である．日本にいた時は農学を専攻していたので畑に出ていることがほとんどであった．土のことがわからなかったらその自然がどれだけの質量を生産できるかわからないじゃないか，という単純な疑問を基にアメリカの大学院に行った時に専門を環境土壌学へ変更した．ここまではあまりアブナイことはしていない．アメリカで出会ったプロジェクトは森林における木の種類が物質動態にどのように影響を及ぼすかということの解明であった．おりしも生物多様性についての議論が学会で白熱していた頃であり森林といった大きなスケールの研究に惹かれて「やります！」と手をあげた．そして行った先が雄大な自然に囲まれた自然保護区．車で入れる場所ではなく，歩いて行くかカヌーで行くかしないと調査地にたどり着かない．歩くと2時間半のところをカヌーで行けば1時間弱．時間の節約になるし，カヌーでなくては！ということで毎日保護区の境界線まで車で行ってそこからはカヌー，という日々になった．

自然保護区であるから人は少ない．というかほとんどの場合において人口＝私で一番近い人の住んでいるところまで２０キロ超離れている．ここまで来ると自然があまりにも豊かで本当にいろいろな光景を見たり，現象を経験することになった．と，今だからほのぼのと書くことができるのだが振り返ってみるとかなりアブナイことをしていた．アシスタントを雇う費用が当時の研究費に入っていなかったためにほとんどの作業が単独行動であった．一人で４０キログラム近いカヌーをトラックに積んだり下ろしたり．自然の中で独りはまずいだろうから，ということで携帯電話（当時は非常に高額）を持って行ったら電波が届いておらず単に荷物になっただけで，朝出かけたら夕方まで音信不通だった．もちろん本当にアブナイ目にも何回か遭遇している．風の強い日に波を避けるために湿地のそばまでカヌーを寄せたら，たまたまその湿地で野生のブルーベリーを堪能していた黒熊が私のパドルの音にびっくりして立ち上がり，口から心臓が飛び出るほどびっくりした上に私と目があってしまい一瞬見つめあってしまったこともあった（私にとってはものすごく長い時間に感じたが）．また，雷の音が聞こえてきたので早仕舞いをしてカヌーで戻る途中，湖の真ん中で振り返ったら夕立が黒い壁のようになっていてものすごいスピードで私に追いついてきているのを見て慌てて一番近い岸まで必死で漕いで雨宿りをしたこともある．

それでも毎日のようにみる豊かな自然はそんな危険なことなんか気にならなくなってしまうほど素晴らしいものだった．朝，日の出と共に行動を開始していたのでビーバーがダムを作る作業を見ることもできた．朝靄の中でニジマスが大きく跳ね上がるのを至近距離で見ることもあった．また，ルーンという水鳥の幻想的な鳴き声が響き渡る中でカヌーを漕ぐのは最高に幸せな時間だった．夕方に湖で跳ねるニジマスを白頭鷲が滑空して捕まえる瞬間を見た時はカメラをリュックサックから出しておかなかった自分にあきれ返ったりもした．夕立の後，薄暗くなった湿地の上で蛍の大群がまるで光の雲のように飛んでいる光景は今でも脳裏に焼き付いているし，その時の感動は忘れられない．

その後，学位論文の最終発表でフィールドを振り返りながら発表をした．非常に評判が良くて安心しホッとしたのだが，気がつくと指導教員の先生が学科長の先生になんか言われている．どうしたのかと思い聞き耳を立てるとなぜ私がフィールドの作業を”一人”でしていたのかと詰問，強く叱責されていたのだ．そう，研究は安全第一であるべきなのだ．私としては他の大学院生とキャビンをシェアしていて毎夜寝る前に次の日のお互いの行動について話をしていたのでだいたい誰がどこにいるかは分かっていたし，もし夜になっても戻ってこない場合は捜索に行くこと，それでもダメなら地元警察に連絡することにしていた．なので何かあっても２，３日の間には誰かが見つけてくれる（はず）状態にはなっていたので大丈夫だろう，と学生同士は考えていたし，何回か同行してくれた指導教員も何も言わなかった．

後日，研究計画のリスクアセスメントなるものを，研究活動を開始する前に書くことが義務となった．他のプロジェクトのためにリスクアセスメントを作成していて思ったのは，もし自分が自然保護区のプロジェクトをやる前にこのアセスメントが導入されていたら，間違いなくアウトだっただろうということだ．何かが起きてからでは遅いのでやっぱり常にもしもの事態にしっかりと備えておくことは非常に大切である．今では安全第一を自分の学生に口を酸っぱくして確認している．

皆さんもフィールド研究をされる時は応急処置のトレーニングや研究作業のリスクアセスメントを行うことを強くお勧めする．

第7章

研究者になる前に読んでおくとよい本

科学とは何か，ということが日本の科学教育において教えられていないということに加えて，多くの日本の研究者が大学教員になった時に，研究技術，論文の書き方などは身につけているものの，研究室の設備，研究資金，研究室の人間関係の管理についてはほとんど教えられていない．実際，日本の大学では，会社と違って系統だった新人研修というのは最近まで行われていなかった．アメリカ，オーストラリアの大学では，新任教員のための研修が数日間にわたってあり，さらに新任教員のためのガイドブックというのがあるそうだが，日本の大学ではどうなのだろうか．日本では小，中，高校の先生になるには大学で教職科目を履修し，教育実習を行い，教員免許をとらなければならない．すなわち，学校教育についてのそれなりの知識とスキルを身につけなければ学校の先生にはなれない．しかし大学の先生になるのに必要な免許というものは，少なくとも日本にはない（フランスには大学の先生になるための資格というものがあるそうである）．私は２つの大学で教育，研究の経験があるが，１つめの大学（東京大学）で助手（現在の助教）になったとき，新任教員のための説明会は何もなかった．２つめの国際基督教大学では，新任教員の説明会がわずか１時間ほどであった．その時は，図書館の使い方など事務的な話がほとんどであった．なお東京大学では現在，２日間にわたる新人教職員研修会が行われるようになったとのことである．また私の勤務する国際基督教大学では，現在は毎週１回，合計 10 回の新任教員研修会を行っている．

研究者を目指す大学院生，ポスドクは，専門知識，研究技術，学会発表および論文作成のスキルを身につけていなければならない．また業績としての何報かの論文が出版されていなければならない．さらに最近では大学教員になるためには，非常勤講師としての教育経験（講義経験）が必要となってきた．大学院生，ポスドクは自分の研究で精いっぱいとなるのはわかるが，自分の人生設計をそろそろ考えなければいけない時期である．そのためには研究者とはどのような種類の職業で，大学教員としての職を得る前にどのようなスキルを身につけておくべきか，あらかじめある程度知っておく必要がある．これらの点については，私がここで書くまでもなくたくさんの本が出版されている．その中でも名著と思われるものをここで紹介しておきたい．★をつけたものは，ぜひ大学院生かポスドクのうちに読んでおくことを勧める．

1）卒論，大学院生向けの本であるが教員にも役に立つ本

★はじめての研究生活マニュアル

西澤幹雄　化学同人　2015

研究の経験が少ないレベルの卒論生，修士1年生が研究室でどのように生活をしたらよいかわかりやすく解説をしてある本．自分が教員になったときに研究室に配属された卒論生，修士1年生のレベルを知るうえで重要な本である．

2）大学院生，ポスドク向けの本

★大学院生に伝えたい科学的マネージメント

山本好和　三恵社　2015

企業の研究所から大学へと転職した著者が大学院生向けに記した名著．大学院生がどうあるべきかということだけでなく，就職後の管理職のあり方など，企業と大学を比較しながらわか

りやすく解説している．私が大学院生に一番読んでもらいたいと思っている本である．

★理工系＆バイオ系大学院で成功する方法
パトリシア・ゴスリング，バルト・ノールダム著
白楽ロックビル監訳・解説　日本評論社　2010

大学院生のためになることが多岐にわたり解説されている．欧米の大学院生のために書かれたものであるが，白楽氏が随時日本の大学院生のために補足解説をしている．日本の大学院生の必読書である．ただし，研究者になってからのスキルなどについてこの本では扱われていない．白楽氏は，大学院生が学位取得後，必ずしも学術的な仕事につくことだけを推奨しているわけではない．

★ケーススタディでよくわかる学生とのコミュニケーション
西澤幹雄　化学同人　2019

前出の「はじめての研究生活マニュアル」が西澤幹雄氏による学生向けの本とすると，この本は「はじめての学生指導」といった内容である．いまどきの学生とどのように研究を進めるのか，具体例をあげたわかりやすい解説書．是非，助教，准教授になる前にこの本を読んで心の準備をしておくことを勧める．

・理系のための研究生活ガイド第２版
坪田一男　講談社ブルーバックス　2010

・理系のための人生設計ガイド
坪田一男　講談社ブルーバックス　2008

・理系のための研究ルールガイド

坪田一男　講談社ブルーバックス　2015

坪田一男氏の三部作．大学院生，ポスドクが研究者としての夢を持つこと，あきらめないことの重要性など研究者のあり方について書かれているとても楽しい読み物．著者は眼科が専門の医学研究者であるが，理工農学研究者にも十分読む意義がある．ここに記した順番で読むことを強く勧める．坪田氏はこの他に「理系のための楽しい研究生活」（2007）という本を出版しているが，この本は坪田氏の日記のようなもので，失敗談，成功体験などがおもしろく書かれているが，自画自賛が多く読み進めるのに少し辟易する．

・研究者としてうまくやっていくには

長谷川修司　講談社ブルーバックス　2015

・大学教授という仕事　増補新版

杉原厚吉　水曜社　2012

2冊とも物理学の先生によるとても楽しい読み物．大学の先生の仕事の大変さ，楽しさがよくわかる読み物．坪田氏の3部作を読んだあとにこの2冊を読むことを勧める．特に長谷川氏の本には，大学院，ポスドク，助教，准教授，教授と年代ごとの研究者としての心得がわかりやすく説明されている．さらに長谷川氏はグループリーダーの指導の心得として，太平洋戦争の時の連合艦隊司令長官の山本五十六氏の指導法を引用している．「やってみて　言って聞かせ　させてみて　ほめてやらねば　人は動かじ」．私はいくつになっても実験の最初は必ず学生と一緒にやることにしている．しかし「ほめてやらねば」は時々忘れてしまうことがある．気をつけなければいけない．

・やるべきことが見えてくる　研究者の仕事術
プロフェッショナル根性論
島岡　要　羊土社　2009

・研究者のための思考法　10のヒント
知的しなやかさで人生の壁を乗り越える
島岡　要　羊土社　2014

・行動しながら考えよう　研究者の問題解決術
島岡　要　羊土社　2017

上記3冊は島岡要氏による若手研究者向けガイドブックである．私はスポーツ，ビジネスにおけるマネジメントスキルがラボにおいても役に立つのではと考えたが，島岡氏は早くからビジネスの考え方をラボでの活動に導入している．「研究者のための仕事術」では，「私は学校で仕事力のつけ方を学ばなかったために，アメリカで苦労し，暗中模索する中で多くのベストセラービジネス書を読みました」とある．ここまでに紹介してきた本とは少し異なる視点で書かれているので，悩める若手研究者にはお勧めである．

・理系のための研究者の歩き方
長谷川健　編著　麦人社　2014

・院生・ポスドクのための研究室人生サバイバルガイド
「博士余り」時代を生き抜く処方箋
菊池俊郎　講談社ブルーバックス　2010

この2冊は前出の長谷川修司氏の「研究者としてうまくやっ

ていくには」をもっと詳しく複数の著者により解説したものである．学部生，修士課程，博士課程，ポスドク，助教，企業研究者にとって何が重要か，何をすべきかと年代別に詳細に書かれているが，まじめに丁寧に書かれているせいか，読んでいてなぜかワクワクしない．おもしろい読み物というより辞書のような感じである．研究室に各1冊置いておいて必要なところを必要に応じて読むということを勧める．

・なぜあなたの研究は進まないのか
理由がわかれば見えてくる，研究を生き抜くための処方箋
佐藤雅昭　メディカルレビュー社　2016

この本のタイトルは興味深い．この本の帯の垣見和宏氏の推薦文には「研究がうまくいかない理由は君のせいではない．こういう指導者に巡り合わなかったからです．研究で迷える大学院生，若手研究者諸君，まだ間に合うぞ！本書を一読して研究を立て直せ！」とかなり衝撃的なコメントがされている．この本の内容は深く，濃く，私も若い研究者に一読を勧める．その理由としては，この本に書かれていることが正しいからである．そしてさらにこの本に書かれていることがすべてではない，ということに気がついてほしいからである．この本ではノーベル生理学・医学賞を受賞した利根川進先生のコメントを引用している．「アゲハチョウの模様がどうして地域によって異なるのかは面白い疑問かもしれないが，本当に重要な問題かどうかよく考える必要がある．そのような小さな疑問に対する研究をいちいちしていたのでは，とても時間が足りない．もっと本質に迫る研究をするべきである」とのことである．またこの本の著者が研究テーマの選び方として３点あげたものは「その疑問に答えることは，分野の重要な進歩につながるか」，「分野の進歩につながるとすれば，どういう形か」，「その成果はどのような応用が利くか」である．この考え方は正しい．どこも間違っていない．しかし私はこの考え方だけがすべてだとは思わない．この本の著者は医学部出身である．この考え方は少なくとも医学，薬学，工学，農学といった応用科学にはあてはまる．それでは研究成果の直接的社会への応用を考えていない基礎科学の世界ではどうだろうか．基礎科学では，自然界で起こっている不思議な現象・機構を，知的好奇心をもって研究に取り組む．生物学の疑問点の追求は大きく２つにわかれる．ひとつは生命の根本原理を明らかにすることである．クエスチョンはHowである．もうひとつの疑問点は地球上の生物の進化と多様性についてである．クエスチョンはHowとWhyである．どちらも同じように重要な課題である．医学，薬学，農学，生命科学の分野の研究者は前者の課題に取り組んでいて，後者にはあまり興味を示さない．生物学では後者も地球上の生物の進化・多様性を解明する重要な本質的課題である．また生物学では自然（nature），進化（evolution）が研究の根底にある．遺伝学者のドブジャンスキーいわく「Nothing in biology makes sense except in the light of evolution」．進化の考えが根底にないものは生物学とは言えない，ということである．私はアゲハチョウの研究テーマに飛びつくだろう．これは業績を求めて研究テーマを選ぶのではなく，適応・進化の解明といったテーマが私の感性に合うからである．自分の感性に合う研究テーマを選ぶことによって自分がハッピーな研究生活を送れるからである．またテーマとしては小さいかもしれないが，科学の研究は「千里の道も一歩から」である．

基礎科学においては「それは何の役に立つの？」という質問の答えをはじめから用意しておく必要はない．自分が面白いと思える研究を楽しみながら行うことが重要である．ただし基礎科学なら何でもよいかというとそうではなく，私なりの条件がある．自分の研究成果を学会で発表したとき，聴衆の51％以上がおもしろいと思わないようであれば，それはいわゆるオタク研究となってしまう．

3）研究室運営についての本

- **研究指導　近田政博編著　玉川大学出版部　2018**
- **研究室マネジメント入門　人・資金・安全・知財・倫理　日本化学会編　丸善出版　2009**
- **大学教員準備講座　夏目達也・近田政博・中井俊樹・齋藤芳子　玉川大学出版部　2010**

以上，3冊はラボをもつにあたっての基本的なことが体系づけられて記述されている．必要に応じて必要な箇所を読むと便利な本である．齋藤芳子氏は，「大学教員準備講座」の中で「研究者自身が考える『よい研究リーダーの要素』には，親切である，支えてくれる，やる気を出させてくれる，マネジメント力がある，効果的にコミュニケーションをとれる，対立や矛盾を解消できる，有益な会合をもてる，よいロールモデルである，よい教育者である，研究を率いるに足る学識がある，などがあります」と述べている．

4）研究倫理と科学者の責任についての本

・科学者心得帳－科学者の三つの責任とは.
池内　了，みすず書房，2007

・科学者をめざす君たちへ　研究者の責任ある行動とは　第3版　米国科学アカデミー編
池内　了　訳　化学同人　2010

科学者を目指すのであれば，科学者としての倫理と責任について1度は理解しておく必要がある.「科学者心得帳」は2007年の出版で，例としてあげられるものがちょっと古く，科学の歴史をみているような気にもなるが，池内氏が伝えたい科学者の倫理と責任は時代が変わっても変わるものではない．科学研究の現場に研究資金，研究業績をめぐっての競争原理が持ち込まれ，その弊害として不正行為の誘発などが起こる．実際に，教授からのプレッシャーにより研究員がデータを改竄した，という話は私も聞いたことがある. 個人的には池内氏の「あとがき」に深い感銘を受けた．通常の本ではあり得ない15ページにもわたる「あとがき」には池内氏の日本の科学の発展を願う強い気持ちが込められており，池内氏には心より敬意を表したい.

5）その他

・アット・ザ・ヘルム　自分のラボをもつ日のために　第2版
Kathy Barker　濱口道成監訳
田口マミ子・小沢元彦・鶴戸嘉明訳
メディカル・サイエンス・インターナショナル　2011

アメリカのポスドク向けに書かれた本の訳本である．副題にあるとおり，自分がラボを持つ前に知っておいた方がよいことが詳しく書かれている．研究生活の題材がアメリカであるため，日本の研究システムとは異なるところが多く，必ずしも日本での研究生活に役立つわけではないが，北米に留学を考えている大学院生，ポスドクが事前に読んでおくと北米における研究生活の実情が理解でき，便利であると考えられる．本の内容が多く，価格も高いので，研究室に1冊置いておき，回し読みをすることを勧める．

・博士号のとり方〔第6版〕
学生と指導教員のための実践ハンドブック
E.M. フィリップス・　D.S. ピュー著
角谷快彦訳　名古屋大学出版会　2018

本書は，イギリスの大学教員2名による著書であり，大学院生および大学院生を指導する教員向けに書かれたものである．本書の後半部では大学院生と指導教員の間で実際に起こった具体的問題を例としてあげ，解決方法など，指導教員のあり方のスキルについて書かれている．大学教員を目指す大学院生，ポスドク，既に博士課程の大学院生を担当している大学教員には参考になる．

・ポスドクの流儀
悩みを解きほぐして今日から行動するためのチェックリスト
Liz Elvidge, Carol Spencely, Emma Williams 著
小谷　力　訳　羊土社　2020

イギリスの研究者がイギリスでポスドク生活を行う若者へのア

ドバイスを書いたものである．イギリスのポスドクが最終的にイギリスで学術的な仕事につけるのは10％以下とのことである．アメリカでも博士の学位をとった研究者が学術的な職につけるのは10％とのことである（池内，2007）．どこの国でも博士号をとってポスドクまではいくもののその先の就職は難しいようである．これは日本の「創作童話　博士が100人いる村」を思い出させる．

(参考) https://jobshunting.hatenablog.com/entry/2018/12/28/223740　2020年5月8日閲覧

（前出の白楽氏の解説（2010）によると日本の学位取得者の学術系への就職は27％とのことである）

また本書では昼間にFacebookや研究に無関係のサイトを長時間見ることのないように，指導教員とSNSで「友達」となるのは慎重に，などのアドバイスが書かれている．さらに職を得たときに必要なスキルを把握し，ポスドクのうちにそれらを身につける行動をとる，ともある．一方，研究の分野から離れて職を得るためのアドバイスも書かれている．ポスドクのためになる重要なことがたくさん書かれているが，本の内容が多く，価格も高いので，研究室に1冊置いておき，回し読みをすることを勧める．

6）具体的な安全技術，野外実習などの安全性についての本

・実験を安全に行うために　第8版
化学同人編集部編　化学同人　2017

・バイオ実験を安全に行うために　化学同人編集部編
日本生物工学会編集協力　化学同人　2018

・野外における危険な生物

日本自然保護協会編集・監修　平凡社　1994

7）ラボのリーダーとしてチームのメンバーを育てるための実践書

★一流をめざすメンタル術

鈴木颯人　三笠書房　2018

★モチベーションを劇的に引き出す究極のメンタルコーチ術

鈴木颯人　KADOKAWA　2018

★弱いメンタルに劇的に効くアスリートの言葉

鈴木颯人　フォレスト出版　2019

★最高のリーダーは「命令なし」で人を動かす

鈴木颯人　KADOKAWA　2019

上記4冊はスポーツメンタルコーチの鈴木颯人氏の著作．筆者はこれらの本を読んで，研究室におけるメンタルコーチングの重要性を考えるに至った．これらの本は，スポーツ従事者，ビジネスパーソンを対象に書かれた本であるが，ラボのチームリーダーがラボのメンバーのモチベーション高めるという点で，とても参考となる本である．いわゆるチームリーダーとしての心理学的スキルの重要性が理解できる本である．

・強いチームをつくる！　リーダーの心得

伊庭正康　明日香出版社　2014

・できるリーダーは，これしかやらない

伊庭正康　ＰＨＰ研究所　2019

鈴木氏の本以外にも世の中にはビジネスリーダー向けの本は多数出版されている．ここでは伊庭氏の著書を２冊ほどあげておいた．研究者にはビジネスの本は関係ないとは思わず，ラボをうまく運営する上でビジネス書が参考になる．伊庭氏はその著書の中で「風邪をひいたら薬を飲むように，仕事で悩んだら，本を読む．本を読めば，解決の扉がいくつもあることを知る」と述べている（伊庭，2014；伊庭，2019）．また研究者である島岡氏も，同様のことを述べている（島岡，2009）．この場合，研究の専門書ではなく，ビジネス書が役に立つと思われる(西邑，2012；稲葉と石谷，2013)．また著名人の名言集もモチベーションを高めたり，落ち込みをなくすことに効果があると思われる（鈴木，2020；小山，2020）．

・東大アメリカンフットボール部ウォリアーズの軌跡
－新時代の大学スポーツを目指して－
好本一郎　日外アソシエーツ　2020

私の大学時代のアメリカンフットボール部の先輩の執筆した本である．東京大学では，体育推薦の学生がいない，附属高校からのアメリカンフットボール経験者の入部がいない，必ずしもスーパーアスリートが入部してこない状況にあるが，最近，徐々にチームの実力を上げ，関東にある約80校のアメリカンフットボールチームのトップ８のリーグにランクインした．どのようなメンバーであろうとよい指導者と各メンバーに目標と向上心があればチームがレベルアップするというよい参考例になるのではないだろうか．研究室もこうでありたい．

今回，数多くの本を紹介したが，紹介したすべての本を一人で買おうとするととても費用がかかるので，研究室のメンバーで分担して購入し,研究室蔵書とするのがよいと思われる. なお,論文の書き方（小林と東海, 2010；小林と棟方, 2019), 学会発表の仕方, 研究費の申請書の作成の仕方などは, 私が大学院生の頃から絶えず新しい本が出ているので, それらの本を参照されたい. ここではあえて紹介はしない.

謝辞

本書を出版するに当たり, 下記の方々から有益なご助言を頂きました. 謹んで感謝の意を表します.
鈴木颯人氏, 好本一郎氏, 国際基督教大学の教員, 大学院生の皆様, 卒業生の皆様, 東京大学大気海洋研究所の教員の皆様, 大学院生の皆様.
また本の出版にあたり, 原稿を丁寧に校閲, 編集して下さった恒星社厚生閣の小浴正博氏に心より感謝申し上げます.

あとがき

これまでに自分の専門の内容については，分担執筆で本を書いたことがあるが，今回のような内容の本を書くのは初めてである．私の書きたい内容がすでに誰かが出版していて私の原稿が二番煎じになっていないかと，科学，ビジネス，スポーツ，心理学などの本を７０冊ほど読み調べた．その結果，今回の2つのテーマについては，まとまった形で出版されたものはなく，オリジナルと言ってよいかと思う．本書は，「ふつうの研究者がふつうの研究室でいかに幸せな研究生活を送るか」という願いを込めて執筆した．多くの科学のガイドブックはいわゆるある分野のスーパースター研究者が書いたもので，いかに自分は努力をして成功してきたか，というサクセスストーリーが多いように思われる．これらの執筆者は Nature，Science 誌といったトップクラスのジャーナルに論文を数多く投稿しているのだろう．そして若い読者はあこがれをもって自分もそうなりたいと思い，努力をする．しかし努力をしてもそういうふうにならなかったといって，決して自分はたいしたことはない研究者とは思わないでほしい．人生で自分がどれだけ研究を楽しんだかを

考えてほしい．
私の友人の生物学者がこんなことを言っていた．「最先端の科学だけでなく，科学の裾野を広げる研究も重要である．最先端の研究もその研究を始めたときは裾野の研究だったのではないか．もし日本の研究者がすべて最先端の研究をするようになったら，10年，20年後には日本独自の研究がなくなるのではないか」まったく同感である．また第7章で紹介した池内氏の「科学者心得帳」には次のようなことが書かれているので引用する．「科学の研究は1万の平凡な研究があって100の優れた研究が展開され，100の優れた研究があって初めてひとつのノーベル賞級の成果が生み出されるのである．100だけの優れた研究を競争的資金でピックアップしても1万の平凡な研究を無くしてしまえば，早晩に100の優れた研究も立ち枯れてしまうだろう」
私はNature，Science誌に投稿をしたことがない．Nature，Science誌などのハイインパクトファクタージャーナルへの論文掲載数を競いあう「研究者個人の業績ゲーム」にはあまり興味がなくなった．負け惜しみととられてもいっこうにかまわない．なぜなら自分が自分の研究を学生と一緒に楽しんでいることに幸せ感を感じるようになったからである．これまで研究者をやっていて一番幸せに感じたのは，韓国からの留学生をカナダでの国際学会に連れて行ったときのことである．その学生が学会期間中に，『「どこの学生？」と聞かれて「小林牧人先生の学生です」と言ったら知らない外国の研究者たちが皆私に親切にしてくれた』と私にうれしそうに話してくれたことである．自分の学生がこんなにも喜んでくれて私は本当に幸せだった．さらに彼女はその学会でポスター賞を受賞するというおまけがついた．

本書は，大学院生から教授までを対象として書いた．私自身，大学院，ポスドクの時は研究がとても，とても，とても楽しかった．高校，大学でのアメリカンフットボールの不完全燃焼を埋め合わせてくれるようだった．しかし，助手，助教授の大変さは本文に書いたとおりである．スポーツメンタルコーチングの勉強を始めてから少しずつ考え方が変わってきた．もともとは私が顧問をしている大学アメリカンフットボール部のメンタルコーチをしたいと思って始めたことであるが，このスポーツの指導法はラボにも適用できると思った．言い換えると，いかに学生がハッピーな研究生活を送れるように学生を導くか，ということである．それにはまず自分が変わらなければいけない，ということも考えた．

大学の社会における役割は Research, Teaching, Innovation である．そして研究者は常に新しいことに挑戦し続け，できる状況の時に最大限の努力をするということが基本である．これは絶対外せない．さらに私はスポーツメンタルコーチングを学ぶ過程で，研究活動におけるラボメンタルコーチングという考えが加わった．研究の成果は，論文数，論文のインパクトファクターではなく，学生がどれだけハッピーな研究生活を経て論文が完成したか，ということに重きを置くようになった．今でも実験，調査の一部は必ず学生と一緒にやっている．その方がその研究への私の思い入れが強くなる．そしてその研究が論文になった時，学生と一緒にやった活動が思い出され，幸せな気持ちになる．このようなスタイルの研究活動もありかと思う．

2020 年 12 月

小林牧人

参考文献（第７章で紹介した以外のもの）

大学教育イノベーション日本，世界に通用する人材育成をめざして．2018.
http://www.ihe.tohoku.ac.jp/CPD/wp/wp-content/uploads/2018/05/HEIJpamphlet2018.pdf
2020年6月5日閲覧.

Doyle, A.C. The sign of Four, 1890.

江本　勝．水からの伝言，波動教育社，1999

Fox, J., McGill, B. Obstacles to strong inference in ecology. https://dynamicecology.wordpress.com/2016/06/01/obstacles-to-strong-inference-in-ecology/
2020年9月30日閲覧.

Fudge, D.J. Fifty years of J.R. Platt's strong inference. The Journal of Experimental Biology 217, 1202-1204, 2014.

池内　了．科学の考え方・学び方，岩波ジュニア新書，1996.

池内　了．疑似科学入門，岩波新書，2008.

稲葉豊茂，石谷慎悟．なぜか必ず目標達成できるチームがやっている７つのこと．明日香出版社，2013.

伊勢田哲治．疑似科学と科学の哲学，名古屋大学出版会，2003.

伊勢田哲治．疑似科学をめぐる科学者の倫理．社会と倫理，25: 101-119, 2011.

板倉聖宣．新版　科学的とはどういうことか．仮説社，2018.

ジルガストン・グランジェ著，松田克進・三宅岳史・中村大介訳，科学の本質と多様性．白水社，2017.

河北哲郎，酒井俊彦編著．大学院教育改革を目指したリーディングプログラム　産業界をリードする大学院生の育成．大阪公立大学共同出版会，2019.

岸見一郎監修．まんが！ 100分de名著　アドラーの教え「人生の意味の心理学」を読む．宝島社，2017

木村　光．楽しい研究生活への指針　バイオ研究虎の巻．共立出版，1999.

小林牧人．論文を書くにあたって．日水誌，76: 72-75, 2010.

小林牧人，棟方有宗．本の編集に関する所感．比較内分泌学，45: 14-15, 2019.
小林慎和．リーダーになる前に知っておきたかったこと．ディスカヴァー・トゥエンティーワン，2019.
近藤克則．研究の育て方．医学書院，2018.
今野文子．大学院生等を対象とした大学教員養成プログラム（プレ FD）の動向と東北大学における取組み．東北大学高度教養教育・学生支援機構紀要，2: 61-74, 2016.
小山真史．「もうダメだ！」と思ったら読む本．株式会社ハップ，2020.
森　博嗣．科学的とはどういう意味か．幻冬舎新書，2011.
森田邦久．科学とはなにか　－科学的説明の分析から探る科学の本質－．晃洋書房，2008.
森田邦久．科学と疑似科学を分ける 2 つの基準．科学哲学，42-1, 1-14, 2009.
村上陽一郎．人間にとって科学とは何か．新潮社，2010.
長尾裕樹．大学研究者になるためにやるべきこと，やってはいけないこと．長谷川健編著「研究室の歩き方」，麦人社，pp. 124-162. 2014.
長島雅裕，古谷吉男，上薗恒太郎，阿部俊二，武藤浩二，小西祐馬．疑似科学とのつきあいかた　～教師を目指す皆さんへ～　長崎大学学術研究成果リポジトリ　2010.　http://hdl.handle.net/10069/23093　2020 年 3 月 21 日　閲覧.
内藤誼人．人は「暗示」で 9 割動く．すばる舎，2018.
中村邦光．日本における「物理」という術語の形成過程．学術の動向，12; 90-95, 2006.
中瀬　惇，上田和夫．福祉社会と心理学，2000.
http://www.design.kyushu-　u.ac.jp/~ueda/Resources/Psychology.pdf#search='%E7%A6%8F%E7%A5%89%E7%A4%BE%E4%BC%9A%E3%81%A8%E5%BF%83%E7%90%86%E5%AD%A6+%E4%B8%AD%E7%80%AC%E6%83%87+%E4%B8%8A%E7%94%B0%E5%92%8C%E5%A4%AB'　2020 年 3 月 15 日　閲覧.
中屋敷均．科学と非科学　その正体を探る．講談社現代新書，2019.

Nature ダイジェスト Vo.15, No.8, 2018. https://www.natureasia.com/ja-jp/ndigest/v15/n8/%E6%B0%97%E4%BB%98%E3%81%84%E3%81%A6%E3%81%AA%E3%81%84%E3%81%AE%E3%81%AFPI%E3%81%A0%E3%81%91%EF%BC%9F/93330.
2020 年 3 月 15 日　閲覧.
日本スポーツ心理学会編. スポーツメンタルトレーニング教本. 三訂版, 大修館書店, 2018.
西邑浩信.「ぐちゃぐちゃチーム」の「ばらばらメンバー」をひとつにする方法. 明日香出版社, 2012
沖　裕貴. 日本の FD の現状と課題. 名古屋高等教育研究, 19: 17-32, 2019.
Platt J. R. Strong inference-Certain systematic methods of scientific thinking may produce much more rapid progress than others. Science, 146: 347-353, 1964.
斉藤茂太. 人間関係で「キレそう！」になったら読む本. 新講社, 2019.
坂部輝御. 企業研究者をめざす人に学部・大学院で身につけてほしいこと. 長谷川健編著「研究者の歩き方」. 麦人社, pp. 90-123. 2014.
酒井邦嘉. 科学者という仕事　独創性はどのように生まれるのか. 中公新書, 2006.
左巻健男, 吉田安規良編著. 新訂　授業に活かす理科教育法　中学・高等学校編. 東京書籍, 2019.
白木賢太郎, M 1 で論文を書く研究室の運営. 生物工学, 97：668-670, 2019.
鈴木颯人. アスリートの心を磨く言葉と魂を揺さぶる絶景. パイインターナショナル, 2020
鈴木久男. 大学生に必要なサイエンス教育とは何か？　名古屋高等教育研究, 10: 59-76, 2010.
戸田山和久.「科学的思考」のレッスン　学校では教えてくれないサイエンス. NHK 出版新書, 2011.
坪田一男. 理系のための楽しい研究生活. 医歯薬出版株式会社, 2007.
塚原　博. 子どものための科学絵本. ―その定義, 科学絵本を書く観点, 種類について－．実践女子大学文学部紀要，60: 19-30, 2018.
上田和夫．科学と疑似科学，心理学と疑似心理学，治療と疑似治療：音楽療法の効果．日本音楽知覚認知学会，公開シンポジウム「音楽と癒し－音楽療法の科学的基盤を求めて」，発表資料集 pp. 13-19. 1997. http://www.design.kyushu-u.ac.jp/~ueda/Resources/Science.pdf#search='%E4%B8%8A%E7%94%B0%E5%92%8C%E5%A4%AB+%E7%A7%91%E5%AD%A6%E3%81%A8%E7%96%91%E4%BC%BC%E7%A7%91%E5%AD%A6' 2020 年 3 月 15 日　閲覧.
矢口邦雄．Opinion 研究の現場から　第 23 回　幸せな研究生活を送るための研究室の選び方．2012.
https://www.yodosha.co.jp/jikkenigaku/opinion/vol30n8.html
2020 年 9 月 17 日閲覧.
山口裕幸．チームワークの心理学　よりよい集団づくりをめざして．サイエンス社，2008.
八巻　秀．人生を変える思考スイッチの切り替え方　アドラー心理学．ナツメ社，2015.
八尾　寛．"Strong Inference" について．日本生理学雑誌，61: 233-244, 1999.

追　記

本書の出版過程において２つの興味深い本が出版されたので紹介しておく．ひとつは鈴木颯人氏による新しい本で「メンタルコーチが教える潜在能力を１００％発揮する方法」（2021）（KADOKAWA）である．この本は是非，大学院生，助教などの若い研究者に読んでもらいたい本である．自分の専門分野とは異なる内容であると思われるが，気分転換、モチベーションの向上にはお勧めのガイドブックである．

もうひとつは佐倉統氏による「科学とはなにか」（2020）（講談社ブルーバックス）（まったく同名の本が森田邦久氏により 2008 年に出版されている．晃洋書房）である．この本のタイトルを見たとき，先を越された，というのが私の実感であった．ところが本の内容は私がイメージしていたものとはまったく異なった．この本の著者は理学の中でどっぷりと基礎科学に浸っていたのだと思われる．著者は価値判断を入れない客観論の基礎科学の活動を内側，それ以外の世界を外側と称している．私は応用科学の一分野である農学部の出身である．生産者，消費者，一般市民，生活者，社会，そして科学ということを考えると，すべてが一体で内側も外側もない．本書にも書いたが，応用科学は基礎科学，人文科学，社会科学を抱合する．たとえばおいしさの科学などという価値判断は基礎科学では入れてはいけないことであるが，応用科学ではごくあたりまえのことである．大学の学部で言うと理学部の他に，農学部，工学部，医学部，歯学部，薬学部，環境科学部，人間科学部と学部数，研究者数ともに圧倒的に応用科学のほうが多く，理学部はマイノリティーなのである．マイノリティーゆえに象牙の塔ができやすいのかもしれない．私は高校生にセミナーをすることが多々あるが，受験生から理学部と農学部，工学部の違いわからないとの質問をよく受ける．確かに日本の理科教育は小学校から高校まで理学部の理科，すなわち基礎科学である．基礎科学の象牙の塔は日本の理科教育の影響もあるのかもしれない．一方，学部学科の縦割り教育による弊害を減らそうと，アメリカのリベラルアーツ教育，学際的教育の導入が 1949 年東京大学教養学部(2 年制，教養部ではない)，1951 年教養学科（4 年制）および 1953 年国際基督教大学（4 年制）にて行われた．私は国際基督教大学の一般教育科目として，生命科学，食品科学を担当して基礎科学だけでなく，応用科学の話をするが，うれしいことに多くの文科系の学生から「高校まで理科は嫌いだったが，応用科学に触れて初めて理科が面白いと思えた」というコメントをもらう．

この本の著者は内側を外側から俯瞰しているが，著者の言う内側だけでなく，著者の言う外側に加えてさらにその外側からも俯瞰し，日本の理科教育に役立てて欲しいと思う．（小林牧人）

著者紹介

小林牧人（こばやし まきと）

東京大学大学院水産学専門課程修了・農学博士
国際基督教大学教授
専門:水産学、生物学、環境学
国際基督教大学アメリカンフットボール部顧問
スポーツメンタルコーチ

藤沼良典（ふじぬま りょうすけ）

東京農工大学大学院生物生産学修士課程修了
ウィスコンシン大学マディソン校博士課程修了・土壌学博士
国際基督教大学准教授
専門:土壌学、肥料学、農学、森林生態学、環境学
講道館柔道初段

理系研究者がハッピーな研究生活を送るには
−科学とは?　研究室とは?　そしてラボメンタルコーチングの必要性−

2021年4月20日　初版発行

著　者　小林　牧人・藤沼　良典
発行者　片岡　一成
発行所　恒星社厚生閣
〒160-0008　東京都新宿区四谷三栄町3-14
TEL　03-3359-7371 FAX　03-3359-7375
http://www.kouseisha.com/

定価はカバーに表示

印刷・製本　株式会社ディグ

ISBN978-4-7699-1665-9

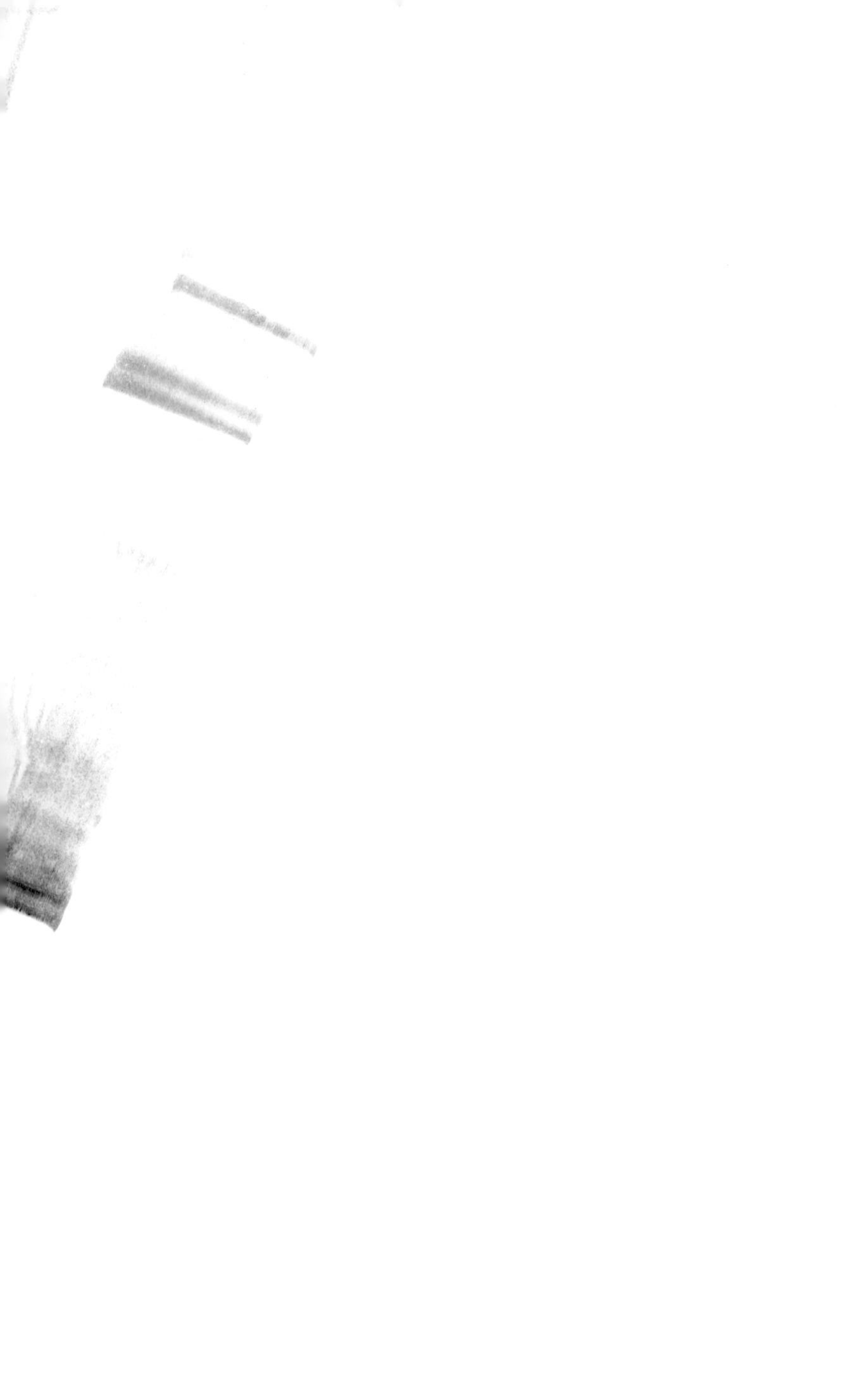